沖縄の
海風そよぐ
やさしい暮らし
365日

島の人たちが守ってきた
かけがえのない日々

ながもと　みち
MICHI NAGAMOTO

JIYUKOKUMINSYA

はじめに

この本は、「どこにいても、沖縄の海風に吹かれてリラックスしている自分に戻る」ために書いた本です。おだやかな海風に吹かれている時って、みんながやさしい顔になる。ページを開くだけで、そんな魔法みたいな沖縄の風をお届けできたら、と願いながら、365日を綴りました。

沖縄には3人の神様がいると言われています。それは、天の神様、地の神様、海の神様。離島で出会ったおじいさんは、朝起きると、3つの湯のみに白湯を注ぎ、3人の神様に捧げることを日課にしていました。太陽、雨、大地、海があるから、今日もこうして生きられる。感謝の気持ちで毎日をスタートする。なんて素敵なんでしょう。

沖縄の自然と寄り添い、見えないものへの敬意にあふれた暮らしは、今話題のSDGsな循環も、当たり前にありました。楽園とよばれる島には、深刻な社会問題もたくさんあります。それでも、大切なことはしっかりと抱きしめて生きている人々の、なんと強く柔らかで美しいことか。

本の中には、私が沖縄に暮らして15年の間に学んだ「笑顔で軽やかに生きるヒント」を散りばめています。各地域で言葉や風習が違うため、あくまでも、私個人が見た沖縄の一部です。それでも、読者さんや友人、お客様にお伝えすると、「大切なことに気付かされた」「悩みが悩みじゃなくなった」「日常が愛しくなった」など、嬉しいお声をたくさん頂いています。

この本が、あなたの毎日が輝くお手伝いに、少しでもなれたら、最高にうれしい。最初から読んでも、どこから読んでも大丈夫。関連項目は、→1/365のように表記しています。「今の自分に必要なことは何？」と問いかけ、開いたページからヒントを受け取る遊び（書物占い）も楽しいですよ。

巡る季節の中で、あたたかな海の風を感じてください。天と地と海と、人とつながる、やさしい暮らしを、喜び合いましょう。

月桃の花咲く 浜比嘉島にて

ながもと みち

1/365

風に名前がある

沖縄には、季節ごとの吹く風に、名前がついています。代表的な風の名前は、春のうららかな風の名前は「陽春風（うりずんべー）」→12/365、夏真っ盛りの頃に南から吹く風の名前は「真南風（まはえ）」→127/365、冬の寒い時期に吹く漁師泣かせの嵐は「二月風廻り（にんがちかじまーい）」→332/365など。風の名前は、旧暦の二十四節気（立春、雨水、啓蟄、清明、立夏、大暑、立秋、立冬、小寒など）がベースとなっています。沖縄は年中暖かいイメージを持たれがちですが、暮らしていると、日々の中にしっかりと四季があり、季節の移り変わりは、風が教えてくれることに気づかされます。

おじぃ、おばぁと話していると、ふっと風がふいたとき、「ああ、気持ちのいい陽春風（うりずんべー）やっさ〜」とか、「夏至南風（かーちーべー）だねえ。夏本番だねえ」「二月風廻りに気をつけるんだよ」など、普通に、日常会話の中に風の名前が出てくる光景に惚れ惚れします。

沖縄の肝（チム）

沖縄の言葉には、肝（チム）を使った言葉が多くあります。肝は「心」を意味し、チムドンドン（ワクワクする→32/365）とか、チムワサワサー（嫌な予感がする）とか、チムサーサー（ザワザワする→93/365）など、地域や人によって使い方は様々で、肝をつかった言葉は数えきれません。世界遺産の勝連城（うるま市）の城主は「肝高の阿麻和利」（キムタカのアマワリ→340/365）と呼ばれ、肝（志）が高かった琉球史のヒーローとして知られています。

なぜこんなにも「肝」という言葉が大切に受け継がれているのか。そこには、心や気持ち、志といった意味合いに加えて、さらにとても重要な何か、沖縄の命のようなものが、込められている気がします。

4月3日

3 / 365

守り神のシーサー

4月3日はシーサーの日。琉球王国時代から沖縄で愛されてきたシーサーは、魔除けであり、守り神の象徴です。沖縄の集落を歩けば、家々の屋根の上や、門柱の上にシーサーが鎮座している姿が見受けられます。門柱の玄関に向かって右側に、口を開けた雄、左側に、口をギュッと閉じた雌を設置するのが習わしとなっています。これは、阿吽を表しており、雄が口を開けて威嚇することで悪魔や魔物を追い払い、雌が口を閉じて幸せを逃さないと言われています。

シーサーの由来は獅子。13世紀から14世紀にシルクロード、中国を経て、沖縄に入ってきました。元々は1体で設置するものでしたが、今は対になっているタイプが多く、大きさや顔つきは作り手によって千差万別。街中や集落などにあるシーサーの違いを見比べるのも楽しみのひとつです。

160の小宇宙

沖縄県の土地の面積は、2281平方キロメートル。香川県、大阪府、東京都に次いで4番目に小さな県です。しかし視点を変えて、海域で見ると、東西約1000キロ、南北約400キロの広大な海域を持っています。その広さは、日本の本州の半分ほど。その中に、160の島があり、そのうち47の島（橋でつながる離島含む）に人が住んでいます。

空港がある石垣島や宮古島のように人口何万人の大きな島がある一方で、人口1名の島があったり、実際には人は住んでいないけど、観光ツアーで人の往来が盛んな島があったり。47の島それぞれに独自の歴史と文化があり、島一つ一つが小宇宙のようです。

神の島と呼ばれる久高島や浜比嘉島（はまひが）、伝統を重んじる竹富島、圧倒的な大自然の西表島、のどかな黒島など、それぞれの島で雰囲気が全く異なることに驚かされます。

月の満ち欠けと生きる

旧暦の文化が色濃く残る沖縄の暮らし。日本は1872年（明治5年）に新暦（太陽暦）になって以来、新暦がすっかり定着していますが、沖縄では、旧正月や旧盆、清明祭（シーミー）、浜下り（はまうい）などの重要な行事は今も必ず旧暦で行います。

旧暦は月の満ち欠けのリズム。漁業や農業をする人は、月の満ち引きで釣果や収穫が左右されることもあり、旧暦で動く方が合理的。また、毎月、旧暦の1日（新月）、15日（満月）は拝みの日。女性たちは、家の台所の火の神（ヒヌカン）と、仏壇にウートートー（拝み）をする日。手を合わせて相談事をしたり家族の健康を祈ったり。月の満ち欠けと共に生きる暮らしが、ここにあります。だからこそ、沖縄の月夜の美しさは、より一層身に沁みるのかもしれません。

旧暦や満潮干潮、伝統行事などを明記した沖縄ならではの手帳もあり、県民に「使いやすい！」と大人気です。

サトウキビ香る、ラム酒

慌ただしかった一日を終えて帰宅し、「今日はラム酒の気分」という日は、まず一番に、グラスに氷を入れて、「イエラムサンタマリア」を注ぎます。これは、伊江島（沖縄本島の本部港からフェリーで30分）にある蒸留所で丁寧に育てられたラム酒。サトウキビの搾り汁のみで仕込み、じっくりと熟成されたアグリコールラムは、サトウキビ本来の味や香りを楽しめるとあって大人気。我が家のお酒コーナーにも欠かせない存在です。

まずはロックで。ひと口舐めると、サトウキビのほのかな甘みと、スモーキーな樽の香りがたまりません。炭酸で割って、ミントを入れてモヒートにしたり、コーラと割って、シークヮーサーを搾ってラムコークにしたり。キッチンで晩ごはんを作りながら楽しむ島産のラム酒は、島の風に包まれるような豊かさです。

7 | しんぐゎち

琉球藍がある幸せ

深海のように深い藍色。使い込むほどに味わいが生まれ、何度も染め直すことができる藍染めは、昔から沖縄でも使われてきました。藍といっても、沖縄で親しまれている琉球藍は、日本本土の藍染めの原料となる蓼藍（たであい）やインド藍とは異なるキツネノマゴ科の多年草植物。蓼藍よりもわずかに赤みや紫がかった藍色が特徴で、独特の風合いがたまらなく魅力的です。

浜比嘉別邸（はまひがべってい）→364/365の玄関には、長年の友人で、染織作家の宮良千加さん→181/365のタペストリー「月の道」が飾られています。海に映る月光の道を、藍と白の2色で表現した「月の道」は、見ているだけで神秘的な月夜の海を彷彿とさせてくれます。南の風に吹かれ、ユラユラと揺れる「月の道」を見ているだけで、風も、海も、植物も感じられ、大いなる存在に包まれている豊かな時間です。

8 | しんぐゎち

4月8日

8 / 365

大好物の島野菜、ナーベーラー

4月8日は島野菜の日。「こんなに美味しいのに、日本本土では食べないなんてもったいない！」と思う、島野菜が、ナーベーラー（ヘチマ）です。

多くの日本人は、ヘチマといえば、入浴時に体を洗うためのスポンジ代わりとしてのイメージしかないという方が多いのですが、沖縄でヘチマといえば、「美味しそう！」がダントツ一番のイメージなはず。汁もの、炒め物、煮物など調理法が様々あり、私が大好きな料理は、「ナーベーラーンブシー」（ヘチマの味噌炒め）です。ヘチマの皮を剝き、実を食べやすく細切りにして、豚肉と一緒に炒め、味噌で味付けをして完成。トロットロのヘチマが豚肉の脂とお味噌でコーティングされてその美味しいことと言ったらありません。

ビタミンB6やビタミンKが豊富で、風邪や喘息、夏バテに効果的。夏野菜の王様と言われています。

9 しんぐゎち

4月9日

9 / 365

南十字星と、北斗七星

沖縄で見たい星座のナンバー1といえば、南十字星。石垣島や波照間島、竹富島などが観測場所として有名です。観測しやすいのは4月初旬〜6月初旬。水平線が見える場所や高台がオススメです。南の空に浮かぶ「からす座」を目印に、ぜひ探してみてください。

北の夜空に浮かぶ北斗七星は、水を汲むひしゃくの形をしていてとても目立つ存在です。沖縄では、ナナチブシ（7つの星）、カジマヤー（風車の星）、フナブシ（船星）など、複数の別名があるほど愛されている星座。中国や沖縄では、人間の寿命を司る神様だという言い伝えもあります。また、琉球王朝時代には、中国との進貢船の旗にも、北斗七星が描かれていたほど、航海に重要な星座だったこともうかがえます。北斗七星の「ひしゃく」の先端2つの星を、開いた方向に5つ分のばすと北極星を見つけることができます。

10 | しんぐゎち

4月10日

10 / 365

お墓でピクニック？ 清明祭(シーミー)

「清明祭(シーミー)」の景色を初めて見た時は、本当にびっくりしました。沖縄中で、お墓の前に親族が集まって、ブルーシートを敷いて、ご馳走を食べて、お酒を飲んで、三線を弾いて、歌って踊る、毎年恒例のこの行事。この時期は、コンビニやスーパーで「清明祭」用のオードブルが並んだり、高速道路は「清明祭による渋滞に注意」の表示が出たり。島は清明祭一色！ 旧正月、旧盆につぐ大切な行事です。

清明とは、二十四節気の一つで、全てのものが生き生きしているという意味。春分の日から、清明に入る日までの間に、子孫たちはお墓の掃除に行き、清明祭本番を迎えます。空は澄み、草花も元気で、清々しい季節だからこそ、4月に入り、新しい環境での生活や仕事がスタートした子孫たちが、お墓の前で先祖と親しみ、青々とした自然からパワーをもらう、そんな大切な時間です。

11 しんぐゎち

いのちのまつり

『いのちのまつり』（草場一壽作、平安座資尚絵、サンマーク出版刊）は、沖縄でとても大切にされている、ご先祖様への感謝の気持ちや、命のありがたさを、とても分かりやすく表現している絵本です。

お話の舞台は、清明祭（シーミー）→10/365の日のお墓の前。主人公のぼうやはおばあさんに尋ねます。「僕のご先祖様って何人いるの？」。お父さんとお母さんの2人から始まり、4人、8人、32人、1000人、100万人！　折り畳まれたページを開くと、そこには、あっと驚く仕掛けがあります。

「数えきれないご先祖様が誰一人かけても、ぼうやは生まれてこなかった」「いのちは目には見えないけれど、ずっとずっと、つながっていくのさぁ〜」「ぼくのいのちってすごいんだね」「いのちをありがとう〜！」。大人も子供も、命の尊さを体感できる絵本です。

12｜しんぐゎち

4月12日

12 / 365

春を呼ぶ、うりずんぺー

春先、朝起きて窓を開けると、もう本当に清々しい空気感で「あーー、なんて気持ちがいいんだろう」と叫びたくなる。「うりずん（陽春）」と呼ばれる沖縄の春は、そのくらいにとても気持ちのいい季節です。気温24度くらい、湿度70％くらい、海風の冷たさもなく、灼熱の暑さもない、Tシャツ一枚でいてちょうどいい、湿度も気温もちょうどいい、そんな季節に吹く風が「うりずんぺー（陽春風）」（旧暦3月頃）です。うららかな日だまりが気持ちよく、公園では子どもたちの笑い声が響きわたります（夏場は、遊具がヤケドの危険があるほど高温になるため、あまり遊べません）。

うりずんの頃の雨は、木々や植物の開花も促してくれます。新学期の学校に咲くデイゴの真っ赤な花。通りを鮮やかな黄色で彩るイペーの木、白とピンク色の花が桃のように愛らしい月桃（げっとう）など、うりずんは、花々が咲き誇る気持ち良い季節です。

13 しんぐゎち

4月13日

13 / 365

不便が残してくれたもの

『不便が残してくれたもの』（池田卓著、ボーダーインク刊）は、離島の中でも「最後の秘境」と呼ばれる西表島・船浮（ふなうき）で生まれ育ち、今もここで暮らすシンガーソングライター池田卓さんのエッセイ集です。

卵ひとつ届くまでに、売店のおばちゃん、バスと船の運転手さん、島の人の手、たくさんの人の協力が必要なこと。細い道だからこそ、みんなが譲り合うこと。物は壊れるのではなく、調子が悪いだけで修理して大切に使うこと、イノシシの胃や腸から何を食べているのかを教えてもらうこと。自然と共に生きる偉大な父から覚えることが多くて、深くて、「島に早く帰ってきてよかった」ととことん思うこと。「さぼることも大切よ」という母の言葉で楽になったこと。「全ては与えられている」ことを、大いなる大自然の息吹と共に教えられます（池田卓さんインタビュー→19/365、曲→186/365）。

14 | しんぐゎち

4月14日

14 / 365

女性が海でお浄めをする日

旧暦3月3日は「浜下り（はまうぃ）」の日。日本本土のひな祭りにあたる女の子の節句です。女性たちは家事をお休みして、海でお浄めをして健康を祈る、とても楽しい儀式です。

浜下りの方法
1、家の火の神（ヒヌカン）に、今から浜下りにいくと伝える。
2、お餅やおにぎり、お弁当を持って砂浜へ。
3、丁寧に砂浜を踏みしめる。
4、額に潮水を3回当て（ウビナディ）、潮水に手足を浸す。
5、海に向かって、女の子の健康に祈りを捧げる。
6、持ってきたお弁当を、砂浜で美味しくいただく。

女性たちがリラックスして、海でくつろぎ、お弁当を広げる様子は、本当に楽しくて可愛くて平和な時間。海が遠い集落では、ごちそうを作って、御嶽（うたき）で食べて拝みをする地域もあります。

15｜しんぐゎち

イリオモテヤマネコ

「この島はね、最初に住んだのが、イリオモテヤマネコ。人間は後からきた動物なんだよ。だから、こっちがヤマネコに合わせないと。人間が我が物顔で暮らすなんてとんでもない」。西表島へ旅行に行った時、出会ったおじいさんの言葉がとても印象に残っています。

4月15日はイリオモテヤマネコの日。国の特別天然記念物に指定されている希少な動物。開発によって生息地が壊されたり、交通事故や、イノシシやカニの罠にかかって死んだりするなどの事件が相次ぎました。近年の個体数は約100頭だと言われています。これ以上の減少を防ごうと、西表島では、道路に「イリオモテヤマネコ　飛び出し注意」の看板を置いたり、動物用のトンネルや、ゼブラゾーン（車が通ると音がしてヤマネコに車の存在を知らせる仕掛けの道）を作ったりするなど、懸命な保護活動に取り組んでいます。

16 | しんぐゎち

4月16日

16 / 365

モズク餃子に、モズクコロッケ

4月の第3日曜日はモズクの日。日本本土ではお酢に浸かってカップ売りで売られているのが一般的ですが、沖縄では、扱われ方が違います。鮮魚&海藻コーナーにパック売りで、生モズクや解凍モズクが山盛りに入って売られています。天ぷら、お味噌汁→355/365、コロッケ、餃子、お好み焼き、ソーメン、自家製ダレとモズクレシピは無限大！これがまたどれも美味しいのです。

栄養満点で、100グラム6キロカロリーと、低カロリーなモズクはダイエット料理にもピッタリ。モズク特有のネバネバとしたぬめりはフコイダンという成分。生活習慣病を予防する効果が期待できるそうです。他にも、美肌作りに効果的なヨウ素や、カルシウム、マグネシウム、ベータカロテン、食物繊維も豊富！　健康食品の王様とも言えます。モズク料理が食卓にあるだけで、食事の満足度が上がります。

17 | しんぐゎち

やちむんの聖地

沖縄で作られている焼き物のことを「やちむん」と呼びます。大自然の中で育まれる焼き物は、おおらかで力強く、手に持った瞬間、優しいぬくもりに包まれるようです。

読谷村にある「やちむんの里」は、やちむん界の聖地的な存在。沖縄の日本復帰頃から、那覇市の都市化の影響で、琉球王朝時代から続いていた那覇市壺屋での登り窯の煙が社会問題となりました。そこで、１９７０年代に人間国宝の金城次郎（きんじょうじろう）さん、１９８０年に大嶺實清（おおみねじっせい）さん、山田真萬（やまだしんまん）さん、玉元輝政（たまもとてるまさ）さん、金城明光（きんじょうめいこう）さんらが今の「やちむんの里」内に工房を移しました。今では里内に19、読谷村内には70を超える工房があり、里内の工房は歩いて回れます。好きな器を探したり、陶工さんの働く姿を見学したり。のどかで豊かな時間が流れています。

18 | しんぐゎち

4月18日

18 / 365

サプライズプレゼント

サプライズプレゼントは好きですか？　私も周りの友人たちも大好きです。誕生日や結婚記念日、何かの記念日などで、私がよく準備するのは、ブーケやアイシングクッキー、ケーキ、美味しいもののセットなど。物があふれるこの時代、お相手のご負担にならないように、あえて形として残らないものをプレゼントしています。沖縄の大恩人の先輩が77歳の喜寿を迎えた時は、サプライズチームを組んだことも。70人を超える大きな会になり、ウクレレと寄せ書き、大きなお花で驚かせたら、大成功！　泣いて喜んでくれました。忙しい日々の中でも、こういった遊びや喜びこそが、何にも代え難い「共に生きている喜び」に繋がります。

相手が日本本土の方の場合は、お花を南国風のテイストで注文したり、ケーキを紅芋タルトや、沖縄産のフルーツケーキにしたり、沖縄らしさも楽しみます。

19 | しんぐゎち

4月19日

19 / 365

かっこいい大人に憧れよう

西表島・船浮出身のシンガーソングライター、池田卓さんは、小さな離島の僻地で育って、大きな夢を叶えられた理由を「周りにかっこいい大人がいっぱいいたからだと思う」と語ります。
「なんでもできる親父はすごいし、豊年祭や節祭なんかで、力石や旗頭を持ってかっこよく動く島の先輩たちにもいっぱい憧れた。島の先輩が歌手デビューしたから、もしかしたら僕にもできるかも？　と思えました。

子どもは、テレビやインターネットの向こう側よりも、リアルで会っている大人に大きな影響を受けます。だから、子ども時代に、どれだけかっこいい大人に囲まれるか、会えているかがすごく大切なんです。そんなかっこいい大人に僕たちもなりたいですよね」と柔らかな笑顔で語ってくれました。（池田卓さんインタビュー →13／365）

琉球女神伝説アマミキヨ

琉球最古の歌謡集『おもろそうし』や琉球で初めての史書『中山世鑑』には、琉球国土の創成神女神アマミキヨがたびたび登場します。史実によると、天帝は琉球を神のすむべき霊地であるとし、アマミキヨに島造りを命じました。アマミキヨは、ニライカナイ（あの世）から、土石草木を持って、琉球に降り立ち、この世界を作ったと言われています。

最初にアマミキヨが降り立った久高島→308/365や、アマミキヨが仮住まいをした浜川御嶽など、アマミキヨによって開かれた聖地のうち7つが琉球開闢7御嶽として語り継がれています。また、浜比嘉島→27/365にはアマミキヨが、男性神シネリキヨと共に住んだとされる洞窟や、アマミキヨのお墓アマミチューがあります。アマミキヨにまつわる遺跡のどれもが、琉球の信仰においてとても重要で神聖な御嶽として今も大切に拝められています。

21 しんぐゎち

ソウルプランツ、月桃（げっとう）

旧暦の3月2日はサンニン（月桃（げっとう））の日。ほんのり桃色がかったつぼみが可愛らしい月桃の花は、梅雨時の大きな楽しみ。花が雨露に濡れる様子は、見ているだけで心癒され、お部屋に飾ると、空間全体がみるみる浄化されていきます。月桃は、ショウガ科の薬草で、野山に自生していたり、多くの民家にも植えられていたり。沖縄で最もポピュラーで、愛されている植物のひとつです。

殺菌浄化作用が非常に高く、おにぎりを月桃の葉で包んだり、お餅を蒸すときに包んだり、料理の下に敷いたりと、昔から暮らしの中で活用され、愛されてきました。

葉と茎からは、爽やかな香りがすることから、月桃のアロマオイルや化粧品もたくさん発売されていて、私も愛用しています。花や実も料理や飾りに大活躍。「WE LOVE GETTO!」と叫んで歩きたいくらい大好きなソウルプランツです。

22｜しんぐゎち

4月22日

22/365

心に響く「黄金言葉(くがにくとぅば)」

おじいちゃん、おばあちゃんから受け継がれてきた言葉や、沖縄の偉い人の名言など、沖縄で大切にされてきた言葉を黄金言葉と呼びます。日々の暮らしの中で、「そうだよなあ、黄金言葉のとおりだなあ」なんてことが、日常茶飯事。例えば、こんなふうに使います。

○笑いは薬（わらてぃぐすい・笑うことは、薬以上の効果がある）だねえ。笑ったら、なんだか元気になった

○家慣れー外慣れー（やーなれーふかなれー・家での行いが外に出る）だよ！　家の中でも行儀良くね

○大掃除をしたら、家中ピカピカになって、気持ちがいいね。掃除は祈祷代（そうじぇーきとぅだい）だね

○年を重ねれば重ねるほど、肝（ちむ）さーにかーぎこーいん。（心の美しさが、外見に出る）自分の顔に責任を持とう

サトウキビと黒糖

毎年4月の第4日曜日は、サトウキビの日。1977年に沖縄県糖業振興協会によって制定されました。沖縄でサトウキビが作られるようになったのは、琉球王朝時代のこと。士族の儀間真常（ぎましんじょう）が、中国から伝わったサツマイモや木綿織、サトウキビの栽培を国中に広めて産業に育てました。黒糖は、サトウキビの汁を煮て濃縮して作るため、糖分以外にもカリウム、カルシウム、鉄分など栄養満点。波照間島や西表島、小浜島などの離島で作られており、同じ製法にもかかわらず、味や香り、食感が違い、島々の風土の豊かさを味わえます。

サトウキビは沖縄の言葉でウージ。ウージの葉で染めると美しい緑色に染まり、ウージの花穂で染めると、ほのかなピンク色に染まります。また、皮や繊維は紙や建材や、アルコール燃料の原料にも利用されています。

24｜しんぐゎち

4月24日

24 / 365

南国アフタヌーンティ

イギリス発祥の食文化アフタヌーンティは、「ヌン活」と呼ばれるほど大人気。沖縄の高級リゾートホテルのラウンジでも、各ホテルの趣向を凝らしたアフタヌーンティを楽しめます。

マンゴー、パッションフルーツ、パイナップル、さんぴん茶など沖縄ならではの食材を、フィンガーサンド、スコーン、ケーキに至るまで、メニューの細部までふんだんに使用。ドリンクも、沖縄産の紅茶や、島薬草のハーブティなど、沖縄だからこそのメニューがそろっています。提供スタイルも、クラシックな3段重ねのスタンドから、お重、鳥カゴタイプなど演出方法も実に自由で様々。

アフタヌーンティの作法は、ティーカップの持ち手はそっとつまむように持つ、食事はスタンドの下の段からなど。気心知れた友達同士で、優雅な午後を堪能できます。

25 / 365

カラフルな魚のお神輿(みこし)

旧暦3月3日の「浜下り(はまうい)」→14/365に合わせて、平安座島(へんざじま)では、豊漁と漁の安全を祈願する伝統行事「サングワチャー」が3日間行われます。これがすごい！　2日目の「ナンザモーイ」は、島の人たちが、形はタマン、色彩はマクブ（タマンとマクブは魚の名前）を模した巨大な魚の神輿を担ぎ、干潮時間に合わせて、東の沖合50メートルほどある聖なる岩（ナンザ岩）に渡ります。見物客も参加でき、大勢の人が干潮の海で、列を成して歩く光景は圧巻！　まるで旧約聖書に出てくるモーセの一行が海を渡るシーンのようでした。岩の頂上では、ニライカナイ→227/365に向けて「ナンザ拝み」が行われます。

戦前、海人の多かった平安座島では、海難事故が多くありました。そのため行事初日は、浜に下りて、故人が海難事故で亡くなった方角へ向かって供養をします。2日目は豊漁祈願の儀式「トゥダヌイユー」もあり、3日目は祝宴で盛り上がります。

うりずんの庭

うりずんの季節→12/365、お庭の月桃(げっとう)→21/365の花が満開になります。桃のようなお花がつぼみが開く瞬間といったらもうなんとも色っぽく。お花を愛でながら、葉っぱはお湯で沸かして、お塩をひとつまみ入れて、足湯にすると爽やかな香りがお部屋いっぱいに広がります。アタイグワー→345/365では、ミニトマトは毎日何十個もとれるものだから、毎日ぱくぱく食べても追いつかない。パッションフルーツ→86/365もお花が咲いて実も青くツヤツヤして宝石のよう。

島野菜やハーブは一年中食卓で大活躍し、生ゴミはコンポストへ入り、堆肥は畑にまかれます。豊かな循環、豊かな時間を、家族や友人と「幸せだねー、豊かなだねー」と分かち合えることがさらに大きな喜びです。

27 | しんぐゎち

神の島　浜比嘉(はまひが)島 1

絶景の海中道路→205/365を渡った先にあるのが、神の島と呼ばれる浜比嘉島です。琉球伝説では、女神アマミキヨは久高島に降り立った後に、津堅島を経由して、浜比嘉島に辿り着き、島内にある洞窟「シルミチュー」で子をもうけてこの世を作ったと伝えられています。アマミキヨのお墓「アマミチュー」をはじめ、20以上の御嶽が島内にあることから、今も多くの霊能者や参拝者が訪れます。

　琉球史研究家の上里隆史先生も、浜比嘉島に魅了された一人。「久高島が琉球王国という国家規模で神話と祭祀の舞台となっているのに対して、浜比嘉島は地元に根づいた古い信仰として、アマミキヨ伝説が残されました。神の島と呼ばれる久高島と浜比嘉島は、ものすごく対照的で興味深い。浜比嘉島は、国家が関わらずに、地元で受けつがれたものとして、国の創世に関わる神話が残っているのがとても珍しい」と語ります。→283/365

28 ｜しんぐゎち

4月28日

28 / 365

お花を食べる

食べられるお花のことをエディブルフラワーと呼びます。沖縄には数多くのエディブルフラワーがあり、暮らしの中で、畑からちょっと摘んで料理に添えたり、子どものお弁当に入れたり、オードブルに入っていたりと、かなり身近な存在です。

代表的なエディブルフラワーは、真っ赤なローゼルやハイビスカス、チャイナローズ、紫色のブルーバジル、ホーリーバジル、リュウキュウコスミレ、黄色のユウナ、ナスタチウム、カレンドゥラなど。

それぞれのお花に、疲労回復や眼精疲労の解消、美肌、便秘予防などの効用があり、その上、料理にお花が入っているだけで、幸せな気持ちで満たされます。

29 | しんぐゎち

元気になるリスト

心地よい毎日を過ごすためには、小さなイライラや心の不調に気づいたら、なるべく早くケアをするのがとても大切。普段から、自分をケアするためのリストを作っておくと、対処も早くできます。沖縄ならではのリカバリーリストをご紹介します。

1、海でぼーっとする。
2、旬の食べ物をいただく。
3、森に入って、樹々や植物、薬草、花にふれて、香りをかぐ。
4、風を感じられる高台や岬、城（グスク）に行く。
5、お気に入りのカフェやホテルラウンジでお茶をする。
6、塩風呂や花風呂に入る（沖縄の天然塩や、地元のお花で）。
7、太陽でフカフカになったお布団でたっぷり寝る。

30 | しんぐゎち

4月30日

30 / 365

春の味、アーサー入りの卵焼き

沖縄に春を告げる「アーサー」（あおさ）は、沖縄の岩場に自生する海藻です。食物繊維やビタミンC、カルシウムが豊富で、汁物や雑炊、かき揚げなど、さまざまな料理に重宝します。中でもアーサー入りの卵焼きは、アーサーのうまみで出汁いらず、甘さ控えめな上品な味。お弁当がちょっと豪華に華やぎます。

《簡単な作り方》

1 アーサーはたっぷりの水で5分ほど戻し、ザルにあげて水気を切る。

2 ボウルに卵をときほぐし、塩、みりん、しょうゆを少々、**1**を加えて混ぜる。

3 卵焼き器に、**2**を入れて、あとはいつもの卵焼きと同じ手順で、出来上がり！

31 / 365

梅雨の季節「小満芒種（すーまんぼーすー）」

沖縄の梅雨は、脅威です！ というのも、畳も壁もタンスの中も、家中のもの、だけでなく、車の中もカビが発生するので、全てのものに要注意の季節なのです。特に革製品は奥にしまっていると、確実に危険。私は沖縄に移住して3年でお気に入りの靴もカバンも、持っていた革製品は全滅しました。一眼レフの内部もカビで使えなくなった時は、言葉を失いました。それほど、梅雨時期の湿度はものすごい威力を持っています。その分、お肌は乾燥知らずでしっとりスベスベ。梅雨というと、日本本土では、6〜7月ですが、沖縄はひと足早く、ゴールデンウイークの前後から、6月下旬頃まで。この時期を、小満芒種（二十四節気のひとつ）と呼びます。小満とは、命が少しずつ満ちること、芒種とは、稲の種をまくことを意味します。慰霊の日（6月23日）前後に梅雨明けすることが多く、梅雨明けすれば、一気に灼熱の夏が始まります。

5月2日

チムドンドン！

私の大好きな沖縄の言葉！　５本の指のひとつに入るのが「チムドンドン」。胸がワクワクドキドキする気持ちを表します。

２０１６年に私が初めて出版した絵本のタイトルは『チムドンドンおきなわ』（絵本スタジオアコークロー刊）。沖縄を旅してチムドンドンすることを一冊の絵本に詰め込みました。

２０２２年、ＮＨＫ朝の連続テレビ小説のタイトルも「ちむどんどん」。沖縄を舞台に主人公が「チムドンドンするさ〜」と口癖のように言い、全国でも知られる言葉になりました。

毎日の中で、どれだけチムドンドンできるか、自分でそれをいかに作れるか、見つけられるかが、暮らしの豊かさにつながってきます。

5月3日

33 / 365

天ぷらはお菓子

沖縄で人気のおやつといえば、天ぷらです。日本のサクサクの衣が薄い天ぷらと違い、沖縄の天ぷらは、ぽってりと分厚く、味がしっかりとついたタイプのフリッター。中身は、白身魚やイカ、モズク、サツマイモなどが人気で、アチコーコー（熱々）を、手づかみで食べるのが最高です。

子どもたちの学童のおやつはもちろん、職場など大人の集まりの差し入れにも天ぷらは頻繁に登場。ローカルな天ぷら屋さんで一つ60〜100円ほど。沖縄の各地に地元民や観光客が列をなして並ぶ天ぷら専門店があります。最近では、コンビニエンスストアのホットスナックコーナーでも買えるようになりました。手土産用に、自分のおやつ用にと重宝されています。「天ぷらだよー」と呼びかけると、「わーーい！」とすぐに群がりができるほど、愛されているおやつです。

愛の証の、ミンサー織

5月4日はミンサーの日。沖縄の伝統的織物の一つである「ミンサー織」。17～18世紀にアフガニスタンから中国を経由して伝わったと推定される織物技術が、竹富島や石垣島を中心として独自の変化をして誕生しました。5つと4つの模様が特徴で、この模様には「いつの世までも」という意味が込められています。また、短い横シマが連続した「ヤシラミ柄」には、足の多いムカデに見立て、「足繁く」という意味もあります。通い婚の習慣があった沖縄で、「いつの世までも愛してください」「足繁く、私の元に通ってください」という意味を込めて、女性から男性へミンサー織が贈られてきました。

愛の証であるミンサー織。現代でも、「いつの世までも末長く幸せに」という意味を込めて、結婚指輪をはじめ、ネクタイ、ポーチ、カバン、テーブルクロスなど、生活必需品の多くに織り込まれています。

5月5日

35 / 365

日曜日は子どもの日！

沖縄に暮らし始めて、初めて行きつけになった居酒屋さんがありました。そこは女性一人でも入れる沖縄料理をメインにしたお店。新鮮なイマイユ（魚）を食べながら、カウンター越しに大将とよくおしゃべりをしていました。思えばそこが初めての、生の沖縄暮らしを教えてもらう場所だったように思います。ある日、「どうして日曜日が定休日なんですか？日曜日の方がたくさんお客さん来そうなのに」と聞くと、大将から返ってきた言葉は、「日曜日は子どもの行事が多いから、休むんだよ」。

以後、沖縄で15年暮らし、この言葉を何度聞いたことか。不動産屋もレストランも、どんなに日曜日の方がお客さんが入りそうな業種だとしても、「日曜日は子どものための日」としてお休みする人が多いのです。

本当に大切なことを大切にする。そんな生き方がかっこいいなぁと思います。

雨の音と、虹の予感

沖縄はピカーン！と太陽のイメージが強いかもしれませんが、実は晴天率は、全国レベルでは、下位のグループに入ります。ですので、住んでいると曇りの日や雨の日が多い。その上、梅雨時は湿度が高く、夏場は突然の強い雨も多いので、洗濯物を乾かすには、少しばかり苦労する地域と言えます。ただ、個人的には、私は沖縄に住んで、雨が好きになりました。縁側で水に濡れる緑を眺めたり、家の中で雨の音を聴いたりする時間は、心の深いところを静めてくれます。畑や森がすぐそばにあるから、木々や植物がグングンと水を吸ってイキイキとしている様も微笑ましく。そして、雨の後には、「あ、そろそろ虹が出そうだな」と光の具合でわかることがあります。テラスに出て虹を見ていると、隣の家の人も虹を見ていたりして。雨が、天と地と人をつなげてくれます。

7 ｜ぐんぐゎち

アコークローの聖地、西桟橋

美しさを超える聖なる時間と讃えたいのが竹富島・西桟橋のアコークロー（黄昏時→192/365）時間です。竹富島の西集落からほど近く、木々のトンネルを抜けて下り坂を歩いていくと、海にまっすぐに伸びる一本の桟橋。両側には透き通った海が広がり、海の向こうには西表島が見えます。この西桟橋は１９３８年、島民総出で建設されました。戦後の食糧難だった当時、竹富島民は水田耕作のために西桟橋を作り、西表島まで通っていました。

島で生まれ育った亀井保信さん→176/365は、「幼い頃、初夏になると西桟橋は、米の収穫で賑わっていた。対岸の西表島を眺めていると、父や祖父、ひい祖父の苦労を思わずにはいられない」と話します。日の入時間近くになると、ビールやカメラを片手にたくさんの人が西桟橋に集まります。世界がピンク色に染まる中で、みんなが一体となって自然に酔いしれる、聖なる時間が流れています。

8｜ぐんぐゎち

5月8日

38 / 365

王道のゴーヤーチャンプルー

5月8日はゴーヤーの日。ゴーヤーチャンプルーは、沖縄県外でも食べられるようになった沖縄料理の定番メニュー。チャンプルーという言葉は、もともと「混ぜた」という意味。諸説ありますが、チャンプルー料理の定義は「島豆腐の入った炒め物」です。

《簡単な作り方》

1 ゴーヤーを縦2つに切り、スプーンでワタと種を取る。豚三枚肉は短冊切り、豆腐は水切りをする。

2 フライパンに油を引いて、豆腐に焼き色をつけたら取り出す。豚三枚肉を炒め、肉から脂が出てきたら、ゴーヤーを入れてさらに炒める。豆腐をフライパンに戻す。

3 塩で味を整え、溶き卵を流し入れて混ぜて完成！

※ゴーヤーは、水にさらしたり、塩揉みをしたりすると苦味がまろやかになります。

※島豆腐がない場合は、木綿豆腐で代用できます。

39 / 365

ハリセンボンは美味しい！

沖縄の居酒屋さんや、水産物のお店に行くと、ハリセンボン（沖縄の言葉でアバサー）の皮を乾燥させて作った提灯が飾られている様子をよく見かけます。

アバサーの提灯は、フグとフクをかけて、「福」を呼ぶ縁起物として愛されており、軒先にかけておくだけで、マジムン（魔物）を追い払い、福を呼び込んでくれるんだそうです。

そして、アバサーは魔除けだけではなく、食べても美味しい！　フグの仲間ですが、毒はなく、天ぷらにしたり、汁物にすると最高です。

私も含め、「お店にアバサーのメニューがあるとつい頼んじゃうんだよね」というアバサーラバーがいっぱいいます。のぼせを下げる「サギグスイ」（下げる薬）の効果があるとされ、クスイムン（薬になる食べ物）の一つ。プルプルとした食感で、味はさっぱりとしていて上品。

ヤギ汁とヨモギの関係

英語のGOAT（ヤギ）にかけて、5月10日はヤギの日。沖縄の汁物料理の代表格であるヤギ汁をはじめ、最近では、ヤギ汁風の沖縄そばや、ヤギ肉のカルパッチョなど、女性や若者にも食べやすいメニューも増えてきました。ヤギ料理を食べるときは、必ずと言っていいほど、フーチバー（ヨモギ）がお汁の上、もしくは別皿にのって添えられています。それは、ヤギ汁は滋養強壮満点の料理ですが、血圧が上がりやすいのが難とされ、ヨモギには血圧を下げる効果があるからです。また、フーチバーがヤギ肉独特の匂いを消してくれるため、ヤギ料理は、フーチバーとセットで食べることが多いのです。

フーチバーは、汗疹予防にお風呂に入れたり、熱冷ましに、フーチバーのお汁を飲んだり、虫さされには葉っぱをこすって塗ったり。活用方法が多いため、お庭の常備菜的な薬草です。

5月11日

11 ぐんぐゎち

41 / 365

海を歩く

沖縄の英雄、石垣島出身のボクサー具志堅用高さんの楽しいエピソードがあります。アナウンサーさんから「ボクサーでなかったら、何をしていましたか？」と聞かれ、「ウミアッチャーですかね～」と答えました。「？…？…ウミアッチャーって何ですか？」「海を歩くという意味ですよ」。アナウンサーさんは、まだチンプンカンプンですが、沖縄の人は大笑い。沖縄の言葉で海を歩く人とは、海人（漁師）のこと。沖縄には遠浅の海が多く、干潮時には沖合までどんどんと歩いていけるものだから、海を渡るというより、「海を歩く」と表現します。ウミアッチャー（海人）に対して、畑仕事をする人はハルサー（畑人）と呼びます。

潮が引いた天気の良い日は、遠浅の海に人で、ウミアッチャーや潮干狩りを楽しんでいる人がたくさんいます。

美肌の町のアセローラジュース

「本部町（沖縄本島北部）の女性は、東京の女性より肌年齢が6歳若い」という医療機関の調査結果が出ています。その理由は、本部町がアセローラの産地だから。アセローラは、レモンの約34倍ものビタミンが含まれるスーパーフードとしても有名です。

アセローラを沖縄の特産品に育て上げたのが、農業生産法人アセローラフレッシュの故・並里康文（なみさとやすふみ）さんと、哲子（てつこ）さんご夫妻です。1989年、「サトウキビ産業だけでは限界がある。一緒に作ろう」と200軒以上もの農家を訪ね歩き、栽培普及に努めました。軌道に乗りはじめた2009年、康文さんが病で急逝。悲しみの淵にいた哲子さんを救ってくれたのが、ルビー色に輝く豊作のアセローラ畑でした。旦那様の遺志を受け継ぎ、ゼリーやジュースなどに幅広く展開。収穫が始まる5月12日はアセローラの日。アセローラは、並里さんご夫妻の「愛と涙と夢の味」です。

13 ぐんぐゎち

みんなのアイドル、北窯

「やちむんの里」内にある北窯は、1992年開窯(かいよう)。4人の名工、與那原正守(よなはらまさもり)さん、宮城正享(みやぎまさたか)さん、松田米司(まつだよねし)さん、松田共司(まつだきょうし)さんの手によって、師匠たちの読谷山窯の北に構えたことから「北窯」と名付けられました。4名は北窯の隣り合わせで工房を持ち、共同窯を続けて30年以上。登り窯の炎の揺らぎで焼かれる作品は、伝統を受け継ぐ確かな技術、おおらかさと、ぬくもり、豊かな表情が大きな魅力です。個性輝く親方たちの人柄に魅かれて、多くのファンが全国から足を運びます。

北窯30周年記念式典で松田共司さんは言いました。「あなたが生きるから、僕も生きる」。4人が誰一人欠けることなく続けられたこと、個に流れてしまいがちな現代で、共同で土づくりも窯焚きもし続けることがどれほど大変なことか。だけれども、だからこそ、北窯の作品は、厚い信頼と深い優しさを宿しています。→91/365

聖地巡礼、東御廻い（あがりうまーい）

聖地巡礼で人気の四国八十八ヶ所や熊野古道、スペイン巡礼のようなコースが、沖縄にもあります。それは、琉球の創世神アマミキヨ→20/365が歩いた聖地をめぐる「東御廻い」です。琉球王朝時代に国王が王国の繁栄と五穀豊穣を祈願する行事として始めたのが起源とされ、その後民間へと広まっていきました。コースは、世界遺産でもある首里城の「園比屋武御嶽（そのひゃんうたき）」からスタート。国王もここで旅の安全を祈願したそうです。そこから太陽の昇る方向、東（あがり）に向かって、与那原町、南城市にある霊地を巡り、ゴールの玉城グスクを目指します。

私も以前、友人に誘われて、1泊2日で歩いて東御廻いをしました。足はクタクタになりましたが、歩きながら見える沖縄の景色に癒され、静寂の御嶽に心清められる旅でした。今はバスや車で巡り、琉球の歴史に触れる旅を楽しむ人が増えています。

15 | ぐんぐゎち

5月15日

45 / 365

お腹いっぱい、漁港メシ

海がある町には必ずと言っていいほどあるのが、鮮度抜群の魚料理が食べられる漁港食堂。沖縄の漁港そばにある食堂のメニューのほとんどは、沖縄独自の魚料理のオンパレードです。海ぶどう丼（写真）、魚のバター焼き、モズク丼、伊勢海老のウニソース焼き、魚汁、アバサー（ハリセンボン →39/365）汁など。「伊勢海老って沖縄でとれるの？」「ハリセンボンってこんなに美味しかったんだ！」と初めて食べる人は驚きの連続です。モズク丼は沖縄の小学校の給食のメニューで、モズクとひき肉を甘辛く煮た丼で、子どもたちも大好き。南国の魚は淡白なイメージがありますが、白身魚をバター焼きにすると、びっくりするほど味わい深く美味しい。そして、実は、沖縄はマグロの漁場が近いため、冷凍ではなく生鮮マグロが食べられる場所。高級本マグロが、日本本土に比べると破格の値段で食べられ、マグロ好きにはたまりません。

16｜ぐんぐゎち

5月16日

46 / 365

傘をささない？

沖縄の人はよく「傘をささない」と言われており、実際に、雨が降っていても傘をささない人をよく見かけます。

民間気象会社ウェザーニューズが実施した「傘調査2022」の結果、沖縄で弱い雨でも傘をさす人は48％の全国44位。傘の所有数は一人あたり2・8本（全国平均4・2本）と全国最下位でした。

傘をささない理由は、車社会だから傘をささなくても雨に濡れない、すぐそこなら走ればいいと思っている人が多いこと。また、南国特有の突然の大雨に慣れている、すぐに止むことを知っている、その後の強い日射しですぐに乾く、など、生活事情が反映されているようです。

夏場は暑いので、突然の強い雨に降られたら「気持ちいいー」と叫びながら喜んで帰っている子どもたちもいます。

5月17日

17 ｜ぐんぐゎち

47
/
365

「宮古ブルー」の秘密

飛行機の窓から、宮古島が見えてきたら、ぜひ海岸線や海の色に注目してみてください。色のグラデーションがそれはもう美しく、この世の楽園かと思います。沖縄屈指の美しさを誇る宮古島の海は、「宮古ブルー」の名で愛されています。宮古島の海はどうしてこんなにきれいなのでしょうか？　それにはちゃんとした理由があります。

サンゴ礁が隆起した宮古島には、大きな山と川がありません。そのため、宮古島の人々は、水に苦労をしてきた歴史があります。その分、川から赤土や泥などが海に流れ込まないから、海水の透明度が高いのです。また日本最大級のサンゴ礁群を誇る海の中では、サンゴが光合成をして、二酸化炭素を吸収し、酸素とミネラルを海中に排出してくれています。豊かな自然があってこその海の青。だからこそ、「エコアイランド宮古島」の活動→289/365にもつながっています。

18 ｜ぐんぐゎち

5月18日

48 / 365

息子を想う、ニガナの白あえ

「うちのおかあのニガナの白あえ、めちゃくちゃ美味しいから食べてみて」。地元の新聞社に勤めていた頃、同僚の男性からこう言われ、お弁当に入っていたニガナの白あえをいただいたことがありました。ごま油が隠し味で、これまで食べてきたニガナの白あえよりも、コクのあるどっしりとした味わいで、働き盛りの息子を想った味付けに、同僚のお母さんの愛を感じたことをよく覚えています。

ニガナ（苦菜）は、海岸線や砂地に生えるキク科の野草。漢字の通り、強い苦味が特徴です。ビタミン、カリウム、カルシウムを豊富に含み、子どもが熱を出すと、ニガナの搾り汁に黒糖を入れて、飲ませていたそうです。青汁のようにスムージーにしたり、汁物に入れたり。豆腐とあえて白あえにするとき、ピーナッツバターを混ぜるとさらに食べやすくなります。

5月19日

19 ｜ぐんぐゎち

49 / 365

沖縄を「着る」ワクワク

沖縄発のテキスタイルブランド「taion」は、沖縄の鮮やかな色合いの花々や海の色を、ワンピースやスカート、シャツ、バッグなどにしています。テキスタイルの原画を描くのは、アーティスト・Lee Yasumitsu さん。その原画をもとに商品に仕上げるのがブランドマネージャーの大坪奈央さんです。

沖縄本島南部のサトウキビ畑に囲まれたのどかな場所に住み、沖縄という土地の持つエネルギーに触発されて、次々と新しいシリーズを発表。ハイブランドのホテルや直営のショップ等で販売されています。光を浴びてキラキラと輝く海を彷彿とさせるumi シリーズや、アラマンダやハイビスカス、イペーなど沖縄ならではの花のシリーズなど、taion の洋服を身にまとうと、まるで、母なる海に包まれているような、花畑を持ち歩いているような、贅沢でワクワクとした楽しい気持ちに満たされます。

→ 59/365

20 ｜ぐんぐゎち

5月20日

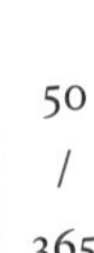
50 / 365

食品スーパーは遊園地

沖縄の食品スーパーは、これ何？ それ何？ え！ 美味しい！ の連続で、日本本土にないものだらけのオンパレード！ 見慣れない島野菜が数多く並ぶ野菜コーナーから始まり、お隣の豆腐コーナーには、普通の豆腐よりひとまわり大きな、島豆腐が特別棚に並んでいます。島豆腐がアチコーコー（あったかい）だったらラッキー♪ できたての証拠です。深めのお椀に入った豆腐は「ゆし豆腐」です。にがりを入れて型に入れる前のふわふわした豆腐で、二日酔いや、腸が弱っているときに最高です。鮮魚コーナーにはアバサー→39/365やオジサンなどの沖縄鮮魚が並び、お肉コーナーには、琉美豚（りゅうびとん）やもとぶ牛などの県産肉があったり、てびち（豚足）がドンッと置かれていたり。総菜コーナーも琉球料理がずらり。移住して15年以上経っても、まだ食べたことのない食材もあり、摩訶不思議な琉球王国の食文化の奥深さは底なしです。

21 ｜ぐんぐゎち

51 / 365

よしもとばななさんと沖縄

よしもとばななさんの沖縄を舞台にした小説『なんくるない』と、沖縄の旅日記『なんくるなく、ない』（共に、新潮社刊）は、ドキッとする名文の連続です。

「沖縄には神様が静かに降りてくる場所がある。大丈夫だよ、と声が聞こえる」

「自然の中に生きるとは（中略）、自然をたくさん見て、その流れを感じて、エネルギーをたくさんもらって、自分の野生のセンサーの働きを保っておくことなのだと思う」

「沖縄に行く度に、私は体を動かすこと、毎日を体でちゃんと生きること、今日おてんとうさまにいただいたものは、みんなちゃんと天に返してから眠りにつこう…ということの大切さを思い知る」

沖縄に身を置くことで感じる感覚を強烈に呼び覚ましてくれます。

22｜ぐんぐゎち

5月22日

52
/
365

遊んでいるだけ

満潮で海がキラキラと輝いていた朝、ビーチへ行くと、ひとりのおじいが船を出そうとしていました。「何が釣れるの？」と聞くと、「いやあ、今は釣れないねー。9月半ばになると、ミジュン（イワシの仲間）とかグルクマー（サバの仲間）とかが来るんだけどねぇ」「え、じゃあ今は釣れないの？」「うん、釣れない」「え？じゃあ、なんで船出すの？」「遊んでいるだけ。暇だから」！なんとも粋な答えにびっくりしました。結果も目標もなくていい。遊んでいるだけ。ついつい、私たちは、目標や予定、成果を気にしながら、日々を送りがちですが、「遊んでいるだけ」でいいのだと、朝の海で教えられました。おじぃは海を知り尽くしているから、もしかしたら、本当は目的があるかもしれません。どちらにしても、「遊んでいるだけ」というその答え方に「師匠と呼ばせて！」と心がわしづかみにされました。

5月23日

23 | ぐんぐゎち

53
/
365

月の出、月の道

日の出と同じように、お月様が上がってくる様を「月の出」と呼びます。太陽と同じように、お月様も東から昇って、西に沈むため、東海岸では、水平線から上がってくる月の出を拝むことができます。時間的に月の出が見やすく、特に美しいのは満月の前後数日間。まんまるのお月様が徐々に顔を出していく姿はこの上なく神秘的。低い位置にいる方が、海は月の光に照らされ、まっすぐ自分に向かって伸びてくるような、光の道が現れます。これを「月の道」と呼びます。満月前後の天気がいい日、一人で、家族で、恋人同士で「月の道」を眺めるのは、なんとも極上の時間。

6月頃の満月の日は、サンゴ→339/365もウミガメ→102/365も産卵のシーズン。陸上では人間が「月の道」をウットリと眺め、海の中でも命の誕生のドラマが起こっているかと思うと、より神秘的な気持ちに包まれます。

24｜ぐんぐゎち

5月24日

54 / 365

魔除けの水字貝（すいじがい）

沖縄の昔ながらの集落を歩くと、家の門や入り口に、6本の突起がある水字貝が飾られています。それは飾りというよりも、魔除けです。

形が水という漢字に似ていることから、水字貝、沖縄の言葉では「ユーナチモーモー」などとも言います。

家の門や玄関に、貝の口部分を表にして吊るすことで、とがった角で魔物（マジムン、ヤナムン）を追い払い、貝の口から邪気を吸い込んでくれると言われています。

また、赤ちゃんの夜泣きや、ものもらいには、トイレの角に吊るすといいとも伝えられています。

5月25日

25 ｜ぐんぐゎち

55 / 365

時間厳守という恐怖

「沖縄タイム＝時間にルーズ」なんてイメージがありますが、何かの集まりのときに、「時間厳守」と書かれていたら、沖縄の人も時間を守ります。「コンプレックスがあるからこそ、今回は絶対守らないと！」というプレッシャーになるんだそうです。ただ、反対に「時間厳守」と書かれていなければ、私の友人は「時間厳守じゃないということは、自分の時間を守っていいと受けとる」と話していました。だから、自分のペースで会場へ行く。その代わり、みんなの会話を邪魔せずに、スーッと自然と混ざる。みんなもスーっと受け入れて、「何飲む？」とさりげなく聞いて、「はい、じゃあ、もう一回カンパーイ」なんて、スムーズに会が進んでいく。それはまるで、山手線の電車に、みんなが好きなところで、乗ったり降りたりするイメージ。「沖縄タイムとは、みんなの時間も、自分の時間も守ること」と言っていました。なんだか奥が深いのです。

26 ｜ぐんぐゎち

5月26日

強みがない土も必要

「土もみ3年、ろくろ6年」と言われるほど奥が深い、焼き物の世界。北窯→43/365の土作りは、個性の異なる6種類の土をブレンドして作ります。沖縄本島、中北部の産地から土をとってきて、洗って干しての体力仕事。北窯の親方のひとり、松田共司（まつだきょうし）さんは「ここの土は縦に伸びる。あそこの土は横に伸びる。土によって個性が違うんです。中には強みがない土もある。でも、全てを合わせた時、その土を入れることで、全体が良い土になるという土もあります。人間社会と同じですよね。頭がいい人、重いものを持てる人、空気を和ませてくれる人。いろんな人がいて共同体がある」と教えてくれました。いろんな個性がいるから、助け合って、みんなが幸せに生きられる。やちむんは、土づくりから、多様性に富んだ大自然そのもの。だからこそ、手に取ったとき、優しい気持ちに包まれるのかもしれません。

27 ｜ぐんぐゎち

奇跡のリゾート　星のや竹富島

「売らない、汚さない、乱さない、壊さない、生かす」の竹富島憲章がある竹富島で、２０１２年、圧倒的非日常を提供するブランド「星のや」が手がける「星のや竹富島」がオープンしました。これは本当に奇跡的なことで、星のやは「島の貴重な原風景や文化を、星のやも共に守る」という信念の下、島の人たちと何年も話し合いを重ねて開業しました。2万坪という広大な土地に広がるのは、竹富島のもう一つの集落。曲がりくねった細い道も、グックと呼ばれるサンゴの石垣も、南向きに建てられた全48室の客室も、島の伝統建築を踏襲。地域の伝統と「星のや」流のラグジュアリーさが見事に融合されています。オープンから10年間、ホテルスタッフも島の祭りに参加したり、島の固有種である芋や粟の種を育てたり、常に島の文化を学び続けてきました。その経験と知識を胸に、「島の文化が宝である」ことを訪れる多くの人に伝え続けています。

28 ｜ぐんぐゎち

5月28日

58 / 365

悪口も褒め言葉も気にしない

琉球いろは歌

誹（スシ）らわも（ン）構（カム）な
誉（フミ）らわん構（カム）な
我肝（ワチム）思み（ウミ）詰（チ）みり
朝も（アサン）夕さも（ユサン）

意訳

誰かに悪く言われたり、逆に褒められたりしても、どちらも気にしなくていいのです。大切なことは、自分の心を、朝も夕も磨くことです。私は私以上でも、以下でもない。

29 ｜ぐんぐゎち

「かわいい！」の感覚を育てた

沖縄発のテキスタイルブランド「taion」→49/365。今では、個展を開いたり、ホテルの壁画に採用されたりと引っ張りだこですが、Lee Yasumitsuさんが絵を描き始めた当初は、売れない時期が3年ほど続いたそうです。「最初は人の心の内面を表現したくて、抽象画ばかり描いていたんです。でも、全然売れなかった。そんな時、美術家の横尾忠則さんの本の中に、『絵は内面じゃなく、見えるものを描くんだよ』というような言葉に出会い、雷に打たれたような衝撃を受けました」。そこから、元々描きたかった花を描き始めると、水を得た魚のように描けるようになり、絵が売れるようになったそうです。そして、大坪奈央さんが、Leeさんのパンジーやチューリップの絵をワンピースにしてみると、めちゃくちゃかわいかった！　周りの評価よりも、自分たちの「かわいい！」の感覚を大切にした先に、今のtaionがあるといいます。

30 ｜ぐんぐゎち

5月30日

60 / 365

沖縄カフェ巡り

２０００年代初頭、空前の沖縄カフェブームが巻き起こったほど、沖縄には美味しくてセンスのいいカフェがたくさんあります。あれからブームは消えたのではなく、定着。今も沖縄のカフェ文化のレベルの高さは健在です。沖縄のカフェには、海が見える海カフェ、森の中にある森カフェ、古民家を改装した古民家カフェ、外国人住宅を利用したカフェなどがあり、オーナーの個性が光るお店ばかり。沖縄の新鮮な野菜やお肉、果物にこだわった料理がウリだったり、オーナーのキャラクターが愛されていたり、ロケーション（眺め）が素晴らしかったり。どこもクリエイティブ（創造性）にあふれているのが魅力です。

私はいつも同じお店に通ってしまうので、新しいお店をなかなか開拓できないのですが、「趣味はカフェ巡りです！」なんて女性もいるほど。毎月のように新しいカフェがどこかでオープンしています。

31 ｜ぐんぐゎち

お米のはじまり

昔むかし、沖縄・久高島のイシキ浜に、ひょうたんが流れ着きました。その中には麦、粟、米、豆、アダカの五穀の種子が入っており、それが琉球の穀物栽培の始まりと伝えられています。

旧正月にはしめ縄を飾り、お花見では満開のお花を豊作に見立ててお祝い（与祝）をして、十五夜では稲穂に見立てたススキを飾ります。

日本の一年の祭りごとの多くが、稲作文化と共にあるように、沖縄の行事や拝みごとにも、お米とお酒が欠かせません。

お祈りセットのビンシー→337/365には、洗っていないお米（カラミハナ）と、洗われたお米（アラミハナ）を入れ、フール（トイレ）の神様→316/365へのお祈りでもお米を使います。

御願や旧暦行事の時は、お餅は必須。白餅だけでなく、フーチバー（ヨモギ）や黒糖味などもあります。

6月1日

家出のドライブ、58号線

沖縄本島を南北につなぐ国道58号線は、昼はもちろん、夜の交通量も混んでいます。夜型の人が多いからなのかと思っていましたが、しばらくして、ある事情が分かりました。それは、家出をして、深夜のドライブをする人がかなりの数でいるのです。「夫とけんかをしたときは、いつも泣きながら高速を1時間ほど飛ばしていました」「高速を降りたところのA&W（ハンバーガーショップ）で何時間もぼーっとして、気が済んだら、家に帰っていた」「夜の漁港でぼーっとしていた」「橋で渡れる離島のビーチに行って星を眺めていた」などなど。

非日常空間でひとりになったとき、初めて、日常で演じている役から、自分自身に戻ることができる。国道に光る車のテールランプの列。この中に、涙をこらえて運転している人がどれだけいるのだろう。笑顔の裏には涙がある。車の分だけ、それぞれの人生があります。

63 / 365

だるまちゃんと沖縄

絵本『だるまちゃん』シリーズ、『からすのパン屋さん』『海』『地球』など600冊に上る児童書を書いた加古里子（かこさとし）先生。大作家が発表した作品が、沖縄を舞台にした絵本『だるまちゃんとキジムナちゃん』（福音館書店刊）です。

お話は、沖縄にきた、だるまちゃんが、ニライカナイ→227/365の神様へのお祭りに参加するところから始まります。キジムナーと仲良くなり、ガジュマル→328/365の根でハブと格闘する中で、大事な習わしを教えてもらうストーリー。可愛く愉快な展開の中にも、奥深い沖縄の自然観が隠されています。

あとがきには、先生からのメッセージが記されています。

「古い伝承への敬意と、戦中戦後、今なお続いている沖縄の方々へのご苦労に対してのささやかな謝意と、同志的応援のつもりです」

6月3日

圧倒的なボクネン美術館

ボクネン美術館は、日本を代表する版画家、名嘉睦稔(なかぼくねん)さんの作品を一堂に見られる貴重な場所です。睦稔さんは、伊是名島生まれ。南の棟方志功と呼ばれ、映画「地球交響曲(ガイアシンフォニー)」(龍村仁監督)にも出演。「脳の記憶というより、人間が太古よりもともと持っていた身体性の記憶から産み出される作品づくり」(監督談)に多くの人が魅了されました。美術館の建物は、睦稔さん自身がプロデュースした最大の作品。約3万枚の瓦を使った流線状の建物アカラ内にあります。躍動感のある線と、亜熱帯の色彩に満ち溢れ、1枚1枚の絵から放出される膨大なエネルギーに圧倒されます。沖縄の自然文化への造詣が非常に深い睦稔さん。数多くの作品を通して「世界は沈黙の声であふれている」「幸せはへりません」など、今を生きる私たちに必要なメッセージを届けてくれます。(インタビュー→ 141,164,171,187,191,211,218,232,250,264/365)

6月4日

65 / 365

日本最西端の島、与那国島

日本最西端の島、与那国島は、沖縄本島から南西へ約509キロ、台湾からは約111キロ。年に数回、天気が良い日は、台湾の山並みが見えるというほど、日本よりも、台湾に近い島です。戦後の混乱期は、台湾との密貿易で大いに栄えました。今は、ドラマ・映画「Dr.コトー診療所」のロケ地として話題となりつつも、静かな時間が流れています。

島でぜひ体験してほしいのが、天然記念物の在来馬ヨナグニウマの乗馬体験です。ヨナグニウマは、小型でポニーの仲間。性格も温厚なので初心者には特にオススメ。娘が2歳の時、二人乗りで乗馬体験をしていると、いつの間にか娘は眠っていてびっくり！ スタッフさんが「馬の揺れが気持ちよくて、寝ちゃう人が多いんですよ」と話していました。東京から最も遠い日本・与那国島は、台湾を眺め、歴史を想い、動物に癒される、優しい島です。

6月5日

66 / 365

タコスとタコライス

沖縄のB級グルメの代表といえば、タコスとタコライス。メキシコ料理のタコスは、皮がしっとり派か、パリパリ派かに分かれたり、ご贔屓のタコスの名店があったりして、話題にはこと欠かないほどみんな大好き！　写真は、宜野湾市の名店「メキシコ」のタコス。このタコスを食べるために、県外から沖縄に来る友人もいるほど大人気！

タコライスは、タコスとライスを組み合わせた沖縄料理で、お米の上に、味付けをしたひき肉と、トマト、レタス、チーズをトッピング。炭水化物も野菜も、タンパク質も一皿で食べられる優れものです。タコライスの発祥は1980年代。米軍基地がある沖縄県金武町(きんちょう)で生まれ、今では食堂やコンビニエンスストアなど、あちこちで食べられる定番メニューとなりました。また、味付けされたお肉とソースがセットになった「タコライスの素」を使えば、家庭でも手軽に作れます。

6月6日

67 / 365

「いいね」と言われなくても

那覇市の浮島通りにある、沖縄発のテキスタイルブランド「taion」→59/365の直営店。店の外壁には、Lee Yasumitsuさん直筆の大きなアカバナー→71/365の絵があります。

「実はこれ、何度消しても壁に落書きをされることに困って、逆に絵を描いたんです。描いている側から、地元のおじいちゃんが『いいね！』って褒めてくれたり、建築作業員の兄ちゃんたちが大勢で見てくれていたり。飲み物を差し入れしてくれる人もいて嬉しかった」と話すLeeさん。絵が売れなかった時代、誰かに励まされることも、いいねと言われることもなく、パートナーには「もう描かない方がいいんじゃない？」と言われつつ、それでも描き続けました。「元々は色々気にするタイプだけど、絵に関してだけはとにかく描きたかった。描けるはずなのに、なぜ描けないんだろうって思っていた。今、絵を通して、人と繋がりあえることが嬉しい」

風景が人生を変える

暮らしの中で、ふとした時に、はっとするほどに美しい、空や海、植物や花々に出会うことがあります。そんな時は、よくアラスカに生きた写真家星野道夫さんのエッセイ『旅をする木』（文藝春秋刊）のこの一節を思い出します。

「例えば、星空や泣けるような夕陽を一人で見ていたとするだろう。もし愛する人がいたらその美しさやその気持ちをどんなふうに伝える？」「写真を撮るか、もし絵が上手だったらキャンバスに描いて見せるか。いや、やっぱり言葉で伝えたらいいのかな」「その人はこう言ったんだ。自分が変わっていくことだって。その夕陽を見て、感動して、自分が変わっていくことだと思うって」

風景との出会いが、その人の内面も顔つきも、人生も変えていくことがあります。それは、遠いどこかへの旅だけではなく、暮らしの中で出会う風景の中にも隠されています。

8 ｜るくぐゎち

69 / 365

血の薬、ハンダマ

友人宅で晩御飯をお呼ばれしたときのこと。目の前に、赤紫色のごはんが出てきました！「これは何？」と聞くと、「ハンダマのごはんだよ」。ハンダマは、葉の表側が緑色、裏側が赤紫色の島野菜。よく炒め物やサラダに使われますが、目の前の赤紫色のごはんには、ハンダマの葉っぱは見えません。友人は茶目っ気たっぷりに、マジックの仕掛けを教えてくれました。「簡単よ。炊飯器で炊く前に、ハンダマをお米の上に置くだけ。栄養素がにじみ出て、きれいな色になるのよ」。日常の食卓で、サラッとオシャレに薬草が使われている場面に出会うたび、食文化の深さに脱帽します。

ハンダマは鉄分、ポリフェノールが豊富で、抗酸化作用が強く、「血の薬」「不老長寿の薬」と呼ばれるほど栄養価の高い島野菜。貧血になりやすい妊娠期や月経の時期、体調が優れない時は特に食べたい、島野菜の女王様的な存在です。

9 るくぐゎち

6月9日

70 / 365

魂は簡単に落ちる？

マブイ（魂）を落としてしまうと、ぼーっとしていたり、心ここにあらずになったり、イライラしたり、病気になったり、困ることが起こると言われています。私も「あれ？ あなた、マブイ落としているわね。しかも3つ！」と言われた時、とても調子が悪かったので、すぐにマブイを身体に戻す儀式「マブイグミ（魂込め）」をしてもらいました。マブイを落としたと思われる場所で行います。現地に行けない場合は、家の門やトイレでもOK！ 当人の背中をさすり（または、地面からマブイをすくい上げるような動作をしながら）「マブヤーマブヤーウーティクーヨー、マブヤー」（魂さん、戻ってきてください）などのおまじないを3回唱え、魂をその人の身体に戻します。

ささいなことでも、マブイは落ちるそうなので、何かあったら、マブイグミのおまじないを唱えておけば安心とも言われています。

71 / 365

アカバナーを植えるワケ

ハイビスカスとアカバナーの違い、わかりますか？ ハイビスカスがピンクや白、二重、フリルなど園芸用に改良された品種なのに対して、アカバナーはハイビスカスの原種で、沖縄での呼び名です。赤い花だからアカバナー。「アカバナーは、風に強くて年中咲くから、どの家でも、昔は敷地内に必ず植えていたわけさ。急な葬式にも持っていけるから、別名仏桑花（ぶっそうげ）。仏さんへの思いから、先祖たちが植えてくれたんだねえ」と年配の方から聞きました。いつでもすぐ生花を持ってお悔やみに行くために、自分の家で育てていたそうです。その気持ちが素敵です。

花はサラダやお茶に入れて食べられます。加熱すると色が暗くなりますが、レモンを加えると、鮮やかな赤色に戻ります。少し酸っぱいので、ハチミツを入れるとさらに美味しい。目の疲れや、風邪、ぜんそくなどに効果があるそうです。

紅型（びんがた）のある暮らし

琉球紅型は、貿易で栄えた琉球王国独自の技法で育まれてきた染物の総称です。鮮明な色彩、大胆な配色、中国的な豪華さ、日本的な優美さを併せ持ち、昔は着物や帯での使用が主でした。現代では、室内で絵画やタペストリーとして眺めたり、文具や雑貨のデザインに使用されたりと、日常に紅型のある暮らしが根づいています。写真は浜比嘉別邸→364/365に飾ってある紅型のれん。友人の大人気紅型作家・新垣優香（あらかきゆうか）さんの作品です。高校時代から紅型作家を志した彼女は「紅型は私の人生そのもの」と話し、暮らしの中で触れる花や木々の美しさを作品へと昇華して、観る人に感動を与えています。

民藝運動の父、柳宗悦氏は、紅型の魅力を「自然の鳥をさらに鳥らしく、花をさらに花らしくした。紅型の模様を見ると、私たちは逆に自然の美しさを教わるのです」と讃えました。技術的にも芸術的にも非常に稀有な伝統工芸です。

73
/
365

朝のおいしい風景

沖縄にはオシャレで美味しいコーヒー屋さんがたくさんあります。

名店の多くが、大通りから一本路地に入った少し分かりにくい場所にあるのも特徴のひとつ。たどり着いた先にある隠れ家感と、穏やかな雰囲気、挽きたてのコーヒー豆で丁寧に淹れてくれるコーヒーのおいしさと香りに惹かれて、いつの間にか朝の店通いが習慣になっている人がたくさんいます。

店内には、ゆっくりと手帳を眺めている女性、朝ご飯を分け合っているカップル、学校や職場の話題で盛り上がっている地元のお母さんたちなど、店での過ごし方も様々。

朝一番、元気なエネルギーをもらえる場所があると、暮らしに彩りが生まれます。

13 | るくぐゎち

6月13日

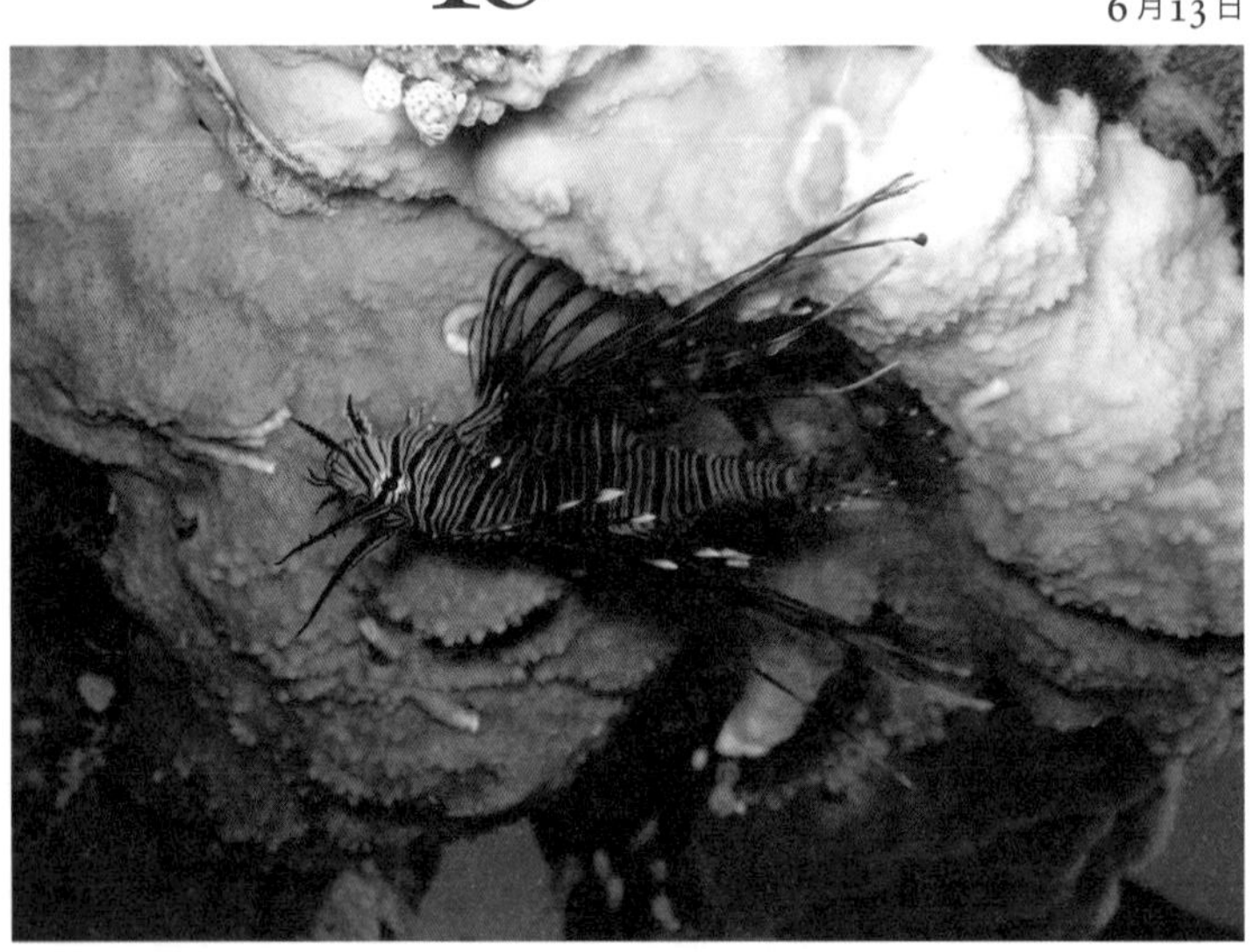

74 / 365

危ない海の生き物

美しい沖縄の海の中には、きれいなだけではなく、毒を持つ生き物もたくさんいます。毒性の強いハブクラゲは、透明の触手が当たるとミミズ腫れができたり、重症の場合は意識を失ったりすることもあります。黄色の尾を持つ青色のナンヨウハギは一見かわいいのだけれど、尾びれの付け根の両側に鋭いトゲを持っています。

他にも、浅瀬の岩場の色に溶け込んで小魚を狙うオニダルマオコゼ、トゲトゲの針が鋭いガンガゼ（巨大なウニ）、ハナミノカサゴやオニヒトデ、ハナブサイソギンチャクなど。刺されたらすぐに医療機関に連絡をして、応急処置を行い、早急に病院へ。

予防するには、長袖のラッシュガードと、長いスパッツ、マリンシューズ、手袋をつけるなど。事前に危険情報を頭に入れて、海では常に油断しないことが大切です。

自分の顔に責任を

ことわざ

作（ちゅく）い容姿（しがた）んちどぅある
生（ん）まり容姿（しがた）んちゃ無（ねー）らん

意訳

「歳を重ねれば重ねるほど、生まれ持った容姿ではなく、その人の生き様や心のあり方が容姿に表れます」

「作い容姿」とは、知性や教養を磨き、経験を積み、心を磨いてできる後天的な容姿のこと。「生まり容姿」は生まれ持った容姿のこと。

現代でもよく言われる「40過ぎたら、自分の顔に責任を持て」という言葉と似ています。

王様の滋養食、イラブー汁

体調を崩した時に、真っ先に食べたいのは、琉球王朝時代に、王様が食べていた薬膳料理のイラブー（ウミヘビ）汁です。イラブーは、滋養強壮の代表的な存在。40年以上続く老舗の名店「カナ」（北中城村）では、何時間もかけて骨抜きをして、何日も灰汁を取り続け、身を削るような工程の末に完成するイラブー汁を頂けます。カツオ風味の出汁が喉を通れば、深い味わいが全身に染み渡り、指先まで熱くなるのを感じます。

店主の我謝藤子（がじゃふじこ）さんは、「来店時、顔色が悪かったお客様が、イラブー汁を食べているうちにどんどんと顔色が良くなっていくことが頻繁にあった。だから、どんなに大変でも、店を閉めることができなかった」と話します。今は娘さん夫婦が支えながら、琉球料理の伝統を受け継いでいっているカナ。食の王国・沖縄の中でも、イラブー料理はなんとしても次世代に残したい、国宝のような料理です。

6月16日

16 るくぐゎち

77 / 365

行政の子育てサポート

共働きが多い沖縄で、子育ての大きな味方が、行政の託児システム「ファミリー・サポート・センター」(通称ファミサポ)。我が家は、長女出産の退院3日目から10年間、本当にお世話になりました。産後、娘を授乳しながら取材に同行してもらったり、ファミサポさんは、ご自身の家庭で預かってくれるので、ファミサポさんの子どもたちと川の字で寝させてもらい、兄弟のように育ててもらいました。我が家の子どもたちは、ファミサポさんの家が大好きすぎて、「次はいつ預けてくれるの？ 早く預けて」と催促されることも笑い話です。

子どもが小さいときは、幼い子どもを預けて働く罪悪感から、サポーターさんの胸で泣いたこともありました。こんな話は我が家だけでなく、ママたちで集まると、ファミサポさんにどれだけ助けられたかの自慢合戦になることも。それほど、共働きの多い沖縄でファミサポさんは神的な存在です。

波音の中でビーチヨガ

ヨガといえば、鏡張りのスタジオで行うことが多いですが、沖縄ならではの楽しみは、ビーチヨガです。近所のビーチへヨガマットを持って行って、気軽に一人でできますし、ビーチヨガのレッスンも頻繁に開催されています。

《ビーチヨガのいいところ》

1 波音や、砂の感触、潮風で「リラックス」できる。
2 砂浜に凹凸があるので、「体幹」を鍛えられる。
3 水辺の「マイナスイオン」、やすらぎの自然音「1／fゆらぎ」に浸れる。
4 砂浜で「アーシング」（裸足になって直接地面とつながる健康法の一つ）ができる。

サンライズ（日の出）ヨガや、サンセット（日の入り）ヨガもオススメ。太陽光を浴びることで、体内のビタミンDの生成が促進され、免疫強化の効果もあります。

18 るくぐゎち

79 / 365

小浜島（こはまじま）でのんびり島時間

ＮＨＫの朝の連続テレビ小説「ちゅらさん」のロケ地として話題になった小浜島。見どころの多い島は、風を感じられる自転車やレンタルバイクなどで回るのがオススメです。ドラマに出てきたサトウキビ畑の中の一本道シュガーロードを、自転車で駆け抜ける気持ちよさと言ったらありません。他にも、マンタ展望台、ちゅらさんの碑など景勝地がいっぱい。島の西側にある細崎（くばざき）海岸は、真っ青な海が美しく、夕暮れ時には、海の向こうの西表島に落ちる夕陽を眺められます。

小さい島ながら、遊べる選択肢がたくさんある小浜島。島内にはリゾートホテルが２軒あり、フルコースの料理やエステ、プールなど、リゾート気分を味わうこともできます。また島の民宿のオーナーは地元の海に精通していることが多く、アクティビティツアーも豊富にあります。

19 | るくぐゎち

6月19日

80 / 365

長寿の秘訣の9ルール

世界5大長寿地域、通称「ブルーゾーン」をご存知でしょうか？　アメリカのロマ・リンダ、コスタリカのニコヤ、ギリシャのイカリア島、日本の沖縄です。『The Blue Zones 2nd Editon』（by Dan Buettner）の中で「世界の100歳人に学ぶ健康と長寿9つのルール」は、1、適度な運動　2、腹八分目の摂取カロリー　3、植物性食品　4、適度なアルコール　5、目的意識　6、人生をスローダウンする　7、信仰心を持つ　8、家族を優先する　9、人とつながる　と記されています。

星のや竹富島→57/365は、この研究結果と、島の健康的な暮らしに倣った滞在プランを作成しました。朝は客室の庭にホウキの目つけを、昼は畑仕事で運動を、夜は風に吹かれて泡盛を舌鼓。島暮らし体験から、健康の秘訣を学び、生活リズムを整えるきっかけになります。長寿の秘訣の9ルール、いくつ当てはまりますか？

土地は借り物

初めて沖縄の地に家を持ち、ご近所の神人（カミンチュ）の男性の家にご挨拶に行ったときのこと。開口一番、玄関先でこう言われました。

「登記上、あなたの家になったかもしれないけれど、土地は神様からお借りしているものだからね。よろしくね」。そう語るおじいさんの後ろには、琉球創世神であるアマミキヨから、琉球王朝の家系図が描かれている巻物が飾られていて、ものすごいところに来たと感動を覚えました。土地は神様から預かっているだけ。だから、感謝を持って大切に使わせていただく。琉球で受け継がれているこの自然観を、私はとても尊敬しています。

ネイティブアメリカンの言葉にも、「今の地球は未来の子どもたちからの借り物」という言葉があります。住んでいる家、地域、国、そして地球を、借りているものとして大切に使おうという意味が込められています。

21 るくぐゎち

6月21日

82 / 365

NO RAIN NO RAINBOW

6月の梅雨時は雨が続き、洗濯物は乾かない、床はなんだかベトベトとして、家の中の至る所でカビが発生。その上、慰霊の日も近づいてくると、気持ちが落ち込んでいく傾向にあります。そんな中でも、やらなければならないことは山盛りで、その上、子どもが兄弟喧嘩なんて始めた日には、「アーー!」っと叫びたくなるような気分になることも。ある日の夕暮れ、兄弟喧嘩をたしなめながらソウメンをゆがいていると、テラスから望む西の空に、雲の切れ間から眩しい光が差し込んできました。料理する手を止めて、「きれいー!」と、ただただ、菜箸片手に立ちすくみました。さらには、もしかして?と思い、反対側の東の空を見てみると、ダブルレインボー。写真は朝の支度中時に出ていたダブルレインボー。こんなギフトが日常の至るところに隠れています。NO RAIN NO RAINBOW(雨が降らなければ、虹は出ない)。

22｜るくぐゎち

83
/
365

愛しさの表現「かなさ」

沖縄の言葉で、愛しいことを「かなさ」と言います。小さい孫をおばあちゃんが「かなさやー」となでたり、女の子の名前に「かなさ」とつけたり。私も新聞記者をしていた頃、「かなさ うちなー(沖縄)むん(もの)」という沖縄の県産品を特集する連載を2年半ほど書きました。「かなさ」には、愛しさの中のせつなさや、成長を見守るまなざしのようなニュアンスも含まれています。

身の回りの「かなさ」な存在、どんなものがあるでしょうか? 家族やパートナー、子ども、ペット、友人など。「かなさ」は人生の宝物を思い起こさせてくれる言葉です。

私たちは、毎日の中で、本当に大切なものを、意外と大切にできていないことがあります。家族を犠牲にして仕事を優先したり、自分の本音よりも他人の目を気にしてしまったり。私たちが「かなさ」を、大切にできる毎日を送れますように。

23 | るくぐゎち

6月23日

84 / 365

命(ぬち)どぅ宝

日本で、どうしても記憶しなければならない4つの日として、明仁上皇は「終戦記念日、広島の原爆の日、長崎の原爆の日、そして6月23日の沖縄の戦いの終結の日」と表明されています。6月23日は慰霊の日。沖縄県が「第二次世界大戦において多くの尊い生命、財産及び文化的遺産を失った冷厳な歴史的事実にかんがみ、これを厳粛に受けとめ、戦争による惨禍が再び起こることのないよう、人類普遍の願いである恒久の平和を希求するとともに戦没者の霊を慰めるため」（条例第1条）として定めている祭日です。組織的な地上戦が終結したこの日、激戦地となった糸満市にある平和祈念公園で、沖縄全戦没者追悼式が行われます。学校も役場も休日となり、沖縄戦で亡くなった20万人の御霊を弔います。

地上の地獄を全て集めたと言われる沖縄戦。「命どぅ宝（命が何よりの宝物）」という言葉は、とてもとても、重い意味を持ちます。

小学1年生が考えた「平和」

6月23日に行われる「沖縄全戦没者追悼式」。毎年、式の中で、沖縄の小中高生が平和をテーマにした自作の詩を朗読します。子どもたちのまっすぐで、純粋で、力強いメッセージに、毎年、テレビ中継を見ながら目頭が熱くなります。２０１３年、与那国島の小学1年生だった安里有生くんが読んだ詩も素晴らしく、多くの県民が涙を流しました。

「へいわってなにかな。ぼくは、かんがえたよ」「ちょうめいそうがたくさんはえ、よなぐにうまが、ヒヒーンとなく」「やさしいこころがにじになる。へいわっていいね。へいわってうれしいね」

絵本『へいわってすてきだね』（ブロンズ新社刊）は、安里くんの詩に、絵本作家の長谷川義史さんが絵を描きました。世代を超えた平和への祈りが込み上げます。

極上の香り、パッションフルーツ

パッションフルーツの熟した実の、甘く爽やかな香りといったら、全世界の香りの中でも、トップ10に入るんじゃないかと言いたくなるほど極上の香り。パッションフルーツの香りは、精神安定の治療にも使われるほどで、ヒステリーや更年期障害、不安症にも効果があるそうです。

　ルビー色に輝く実を半分に切ると、半透明のゼリー状の黄色い果肉とプチプチとした黒い種が現れます。これをスプーンですくってそのまま食べるのが、旬の時期の醍醐味。爽やかな酸味は目が覚めるようで、夏バテ防止にもぴったりです。

　時計の文字盤を思わせる独特のお花が咲くことから、別名はクダモノトケイソウ。市場で実がツルツルの状態で買ったとしても、表面がシワシワになるまで追熟してから食べると甘みが増します。

　写真は、パッションフルーツとイチジク、ブッラータチーズ（おんな食堂）。絶品！

26 ｜るくぐゎち

87 / 365

風の持つせつなさ

「風に吹かれていると、言いようもないせつなさのようなものがある」と、版画家の名嘉睦稔（なかぼくねん）さんは話します。沖縄は地理的に、海洋のただ中に位置していて、西方には大きな大陸があり、複雑な地形の島々を黒潮が包んでいます。だから、沖縄はおのずとさまざまな方向から、複雑な風が吹き、古来の琉球の人々は、風に名前をつけて共に生きてきました。「風のもつせつなさとは、相手がいて、怒りや憎しみに通じる悲しさではなく、元々、人間が持っている根本的な、生きている土台の中に含まれているもの」。睦稔さんはそれを『古層から吹いてくる風』と呼んでいます。

「沖縄では、海の向こうに浄土・ニライカナイがあり、風の巣があると思われてきました。だから風に吹かれると、古層の命の根源に通じるようなものを感じるのです」（名嘉睦稔さんインタビュー）→ 141, 164, 171, 187, 191, 211, 218, 232, 250, 264 / 365

27 ｜るくぐゎち

6月27日

88 / 365

真夏の合図「夏至南風（カーチーベー）」

5月上旬から1ヶ月半ほど続く、沖縄の長い梅雨。その梅雨を乗り越えた先には、ご褒美のような真っ青の海と空が広がり、本格的な沖縄の夏が始まります。真夏の始まりを告げる季節風が「夏至南風」（カーチーバイと読む地域も）。湿気を含んだ、やや強めの南風です。梅雨が明けた後のおよそ10日間は安定した晴れの日が続き、この時期は、「梅雨明け10日」と呼びます。一年の中でも沖縄の海と空の青が、最も美しく輝く特別な時期。

親しくしているカメラマンの友人たちはこの時期に、海や空の撮影に出かけるスケジュールを立てる人が多いほど、この季節の海と空の青さと言ったらたまりません。「夏至南風」に吹かれながら、夏の到来を喜びます。

この夏はどこに遊びに行こうかな？　夏本番スタートの合図に、夏休みの計画を本気で立て始めるのもこの頃です。

28 | るくぐゎち

シーサイドレストラン

「あ、ここは違う時間が流れているな」という場所や瞬間があります。それは、お店だったり、人だったり、大自然の中だったり。忙しい毎日の中で、違う時間が流れる場所に身を置くことで、不思議と心がホッとしたり、大切な何かを思い出したりすることができます。

恩納村にある「シーサイドドライブイン」もそんな場所。昼間は絶景の海が眺められ、夜にはネオンが光る店は、アメリカのロードムービーを彷彿とさせます。沖縄の日本本土復帰直前の1967年に創業。米軍占領下から本土復帰、沖縄の経済成長、観光化の荒波の中を生き抜いてきました。店内には、レトロなオモチャや映画ポスターなどが並び、メニューは、ハンバーガー、鰻丼、フライライスなど、アメリカン、和食、中華と幅の広い構成。窓ぎわの席で、海を眺めながら、ホームメイドスープを飲むだけで、本土復帰前後の時空間へと誘われます。

29 ｜るくぐゎち

6月29日

90 / 365

海の色の名前

海の青と一言で言っても、地域ごとに、ブルーの色合いが微細に異なるため、海を愛する人たちによって、いつの頃からか、地域によって海の色の名前がつけられました。慶良間諸島の海はケラマブルー、宮古島の海の色はミヤコブルー、波照間島の色はハテルマブルー。愛称には、それぞれの海を愛する人たちの想いがたっぷりと込められています。

また、海辺で暮らしていると、朝昼晩の海の表情が全く違うことに驚かされます。朝の海は、透明でキラキラしていて、昼の海は、真上から太陽の光が差し込むため、青色が鮮やかでとてもきれい。夕暮れの海はピンク色に染まり、夜の海は漆黒に、月光に輝いてとにかく神秘的。潮の満ち引きでも表情はガラリと変わり、タップタプに満ちている時と、潮が引いてどこまでも歩けていけそうな時と。365日24時間、変わる海の表情に毎日うっとりと眺めてしまいます。

窯焚きの火は勝負

「窯の中の炎が踊るんです。オレンジ色から黄色、1270度を超えると、炎が白くなって火泡が現れる。そこからがね、勝負なんです。これで火を止めるか、続けるか」と話すのは、北窯→43/365の親方の一人、與那原正守（よなはらまさもり）さん。国内最大級の十三連房の北窯では、年に4回の窯焚きが、1年でもっとも大切な行事です。薪はヤンバル（沖縄本島北部）から天然の木を仕入れ、屋外に1年、中の倉庫で1年寝かせます。「いきなり火はつけずに、徐々に火を大きくしていく。これも自然の原理です。いきなり火を大きくすると、土の中の水蒸気が我慢できなくて爆発して割れちゃう。すごい音がするんです。何度も失敗していますよ」。「樹脂を多く含む松がいい仕事をしてくれる。バナナやヤシだったら、すぐに燃えて終わってしまう。松はすごく力があるけど、人が手入れしている山じゃないと採れない」。

7月1日

92 / 365

元気でね！ ウミガメの赤ちゃん

防波堤やテトラポッドがない天然のビーチでは、4月から9月にかけての夜は特別な時間。なぜなら、野生のウミガメが上陸をして産卵を行うからです。ウミガメはとても繊細で、人がいたり、動く光があったり、産卵に適した場所がなければ、海に帰ってしまいます。無事に産み落とされた卵は、太陽と地面の熱で温められて、約60日で孵化するそうです。

ここ数年、ありがたいことに、ウミガメの赤ちゃんが孵化して、海に旅立っていく場面に、何度も立ち合わせてもらいました。小さな体で、地面から抜け出し、海へとまっすぐにヨチヨチと歩いていく様子は涙なしでは見られません。あんな小さい体で大海原へ出ていくのです。海に入った瞬間に食べられる個体も多いと聞き、「どうか、無事で大きくなってね！」と願わずにはいられません。

7月2日

2｜しちぐゎち

93/365

チムサーサー

「お子さんが頭を打って血が出ています。すぐに来てください」。仕事中にこんな電話が学校からかかってきたことがあります。心臓が止まりそうで、そのとき同席していた沖縄生まれの友人に話すと、彼女は「それは、チムサーサーですね。すぐに行ってあげて！」と。そう、まさにこれが「チムサーサー」。肝（チム）がサーサー（ザワザワ）する、気が動転して、心の中で嵐が起こるような状態のことを言います。サーサーする胸をさすりながら、学校へ飛ぶように向かい、子どもの無事を見て胸をなでおろしました。自分が親になって初めて、両親もきっと、何度もチムサーサーしながら自分を育ててくれたのだろうと、感謝の気持ちで一杯になります。そして、チムサーサーした時ほど、平和な日常が、どれだけ有り難い（有ることが難しい）ことかを痛感します。

94/365

神秘的なサンゴの産卵

毎年、5~6月頃の満月の時期は、夜になると海に生きる生き物を想いながら、ドキドキと胸が高揚します。というのも、この時期に、サンゴ→339/365もウミガメ→102/365も産卵の時期を迎える傾向があるからです。サンゴの産卵の光景はとても幻想的です。サンゴはこの時期、海中に卵子と精子の塊（バンドル・カプセルのようなもの）を放出し、海面で弾けて受精します。受精後、卵子は海底に着床し、長い時間をかけてサンゴへと成長します。一度、サンゴの保護活動を行う「さんご畑」さんが、近隣の子どもたちを招待してくれて、サンゴの産卵を見せてくれたことがありました。夜の海の中で、サンゴから卵が生まれてくる様子は、まさに生命の神秘。言葉にできない感動がありました。5~6月の夜は、家の中にいても、今、この瞬間にサンゴが産卵しているのかと思うと、海の中の生き物たちを想って、たまらなく愛しい気持ちに包まれます。

7月4日

95 / 365

クラフトビールが熱い！

ここ数年、ファンも生産も急増しているのが沖縄産のクラフトビール。クラフトビールとは、小さい規模の醸造所で作られているビールで、麦芽のフレッシュな味わいと、作り手の職人技が光る個性豊かな味わいが特徴。隠し味に県産のゴーヤーが入っている「島ビール」（ヘリオス酒造）は、ゴーヤーの苦味とビールの苦味の相性が抜群で、一度飲んだらクセになる美味しさ。「シークヮーサーホワイトエール」（ヘリオス酒造）は、柑橘系の爽やかな発泡酒なので、お酒が苦手な人にも飲みやすい。

他にも、サンゴ礁から生まれた鍾乳洞の地下水コーラルウォーターで造る「OKINAWA SANGO BEER」（南都酒造所）や、沖縄県産の小麦と食材を使って、生産者とのつながりを大切にしながら造る「クリフビール」など。素材の味と、こだわりの職人技を感じながら、飲み比べをするのも楽しいです。

7月5日

96 / 365

クリーム味の島バナナ

島バナナは、夏の一時期だけに食べられる沖縄ならではの高級フルーツ。果肉がねっとりとしていて、香りも甘みも濃厚で、程よい酸味も絶妙。

生産が難しく、希少性が高いことから、通常のバナナの2〜10倍の値段がつくほど。無人販売コーナーや市場にあればラッキーな希少品です。

食べ頃にちょっとしたコツがあり、青いうちに収穫して販売されているので、常温で追熟(ついじゅく)させます。テーブルの上に置くと接地面から傷んでしまうので、紐で吊るして、毎日、観察！　黄色くなってもまだ我慢。フチに亀裂が入り、皮に黒い斑点が出て、甘い香りがしてきたらやっと食べ頃！

皮がとても薄いので、大切に剝いて、クリーミーな味わいをゆっくりと堪能します。

7月6日

97 / 365

どの島がオススメ?

バカンスの時期になると、私が離島巡りの本を出していることから、友人から「どの離島がオススメ? どの離島がよかった?」とよく聞かれます。いつも「どの島も全部いい!」と答えます。おおげさでもなく、本当に、どの離島も素晴らしく、それぞれの島が小宇宙のように独自の世界観を創り上げているからです。ただ、それでは友人たちが旅行先を選べられないので、この後聞くことは「誰と、どんな時間を過ごしたい?」

海遊び、亜熱帯ジャングルの冒険、優雅なリゾートステイ、島の伝統にふれる、秘境の島に行ってみたいなど。目的によって、オススメが変わります。

帰ってきた時の「めちゃくちゃよかった!」のピカピカの笑顔が最高のお土産です。

7月7日

天の川はティンヌカーラ

地球が属する銀河系の名前をご存知でしょうか？　その名も「天の川銀河」。私たちは、なんて素敵な名前の銀河系に住んでいるんだろうと、なんだか少し嬉しくなります。

銀河系は中心に近いほど星が多く、端になればなるほど星が少なくなります。銀河系の中心方向は、北半球が夏のとき、地球の夜側に見えます。ですから、夏は、日本において一年で最も濃く美しく、天の川を拝める季節となります。沖縄の夏の夜空に現れる天の川は、息をのむ美しさです。

天の川は、沖縄ではティンヌカーラ、英語ではミルキーウエイと呼ばれています。天の川を挟んで、七夕伝説で有名なひこ星（アルタイル）と、おり姫星（ベガ）が見えます。また、南の空には、夏の星座であるさそり座の赤色の一等星、アンタレスが輝きます。

8 しちぐゎち

7月8日

99 / 365

旅の準備

旅行の準備って本当に楽しいですよね！ 旅行前の準備はいつからしますか？ 私はいつも前日になってしまうのですが、それでも、スーツケースを開けて、荷物を詰めていく作業は、いつもワクワクと喜びに満たされます。

《沖縄でお泊まり旅行に持って行くものリスト》
ビーチサンダル、日焼け止め、サングラス、帽子（私はいつも麦わら帽子）、水着、ラッシュガード、シュノーケルセット（現地で借りられるときは持たないことも）、防水用カメラ、着替え、下着、化粧品セット、本、お土産（旅先で会う人に渡すため）、アロマオイル（宿でリラックスして休むために）、ボディークリームやフェイスマスク（日焼け後の肌をケアするために）、酔い止め（船に乗るとき）、ショールや羽織（クーラーが寒い時用）など

旅行後は、帰宅したその日に、さっさと片付けてしまうのが、気持ちよく日常に戻るコツ♪

7月9日

路上で寝ちゃダメ!

酒豪で知られる宮古島。ある日、スーパーに沖縄県警察のこんなポスターが貼られていました。「サーフーフーで健康長寿!!」「路上寝は、ダメ!」サーフーフー（ほろ酔い）という響きが可愛く、しかも、禁酒ではない。「路上寝」は、酒豪の島あるあるの古くからの社会問題。なんとまあ、泥酔をして、路上で寝る人が多いのです。冗談ではなく、本当の話。ちなみに、サーフーフーは沖縄本島の言葉で、宮古島の方言では「ナマビュウ」と言うそうです。

私の元同僚で、お酒が好きで、朝目が覚めたら、駐車場にいたというのが日常的だった女性がいました。家の敷地内だったらまだマシで、「路上で寝ていた人が車に轢かれて亡くなった」というニュースも時々あります。だからこその、このポスター。お酒好きの皆様、サーフーフー（ナマビュウ）で長生きしてね。

7月10日

10｜しちぐゎち

101 / 365

菌の交換が、絆を深める

お庭に「レモングラスを植えたいなあ」と思っていたら、「うちにあるから、もらう?」と隣のおばあちゃん。翌朝には玄関に苗が置いてありました。お礼にと、我が家でつけた手前味噌を持っていくと、翌朝、玄関のドアノブにダイコンのウコン漬けと、ゴーヤーの佃煮がかけてありました。こうなったら、止まることができません。では、次は何をお返しにしようかと、これまた我が家自家製シークヮーサーの黒糖漬けシロップを持っていきました。さあ、この先の展開は? ご想像の通りです。個人的見解ですが、こういう時、オシャレなマカロンとか、有名なお店の高価なお菓子なんてものは持っていってはいけません。なぜなら大切なことは、菌と菌の交換だから。お互いの手を通して作ったものを交換することで、共に生きていく絆や愛情のようなものが育っていく気がしています。写真は隣の隣のおばあちゃんから頂いた、モズクの佃煮と豆ごはん。

11 | しちぐゎち

7月11日

102 / 365

ウミガメと泳ぐ感動！

ハワイでは、幸せを運んでくる「神聖な生き物」と呼ばれるウミガメ。沖縄には、アオウミガメ、アカウミガメ、タイマイの3種類が生息しています。どれも絶滅危惧種に指定され、ウミガメの保護活動も積極的に行われています。

野生のウミガメと出会いやすいのが、慶良間諸島（けらましょとう）や宮古諸島などの離島です。シュノーケリングをしていたら、海の中で偶然ウミガメに出会い、草を食べていたり、一緒に泳いでくれたり、夢のような時間の贈り物も。優雅に前ひれを広げて泳ぐ姿や、まっすぐな瞳は「海の賢者」を彷彿とさせます。一度、海の中で出会って以来、すっかりウミガメの虜になりました。ウミガメが本気で泳ぐととても速く（時速20キロほど）、人間の泳ぐ力（時速6キロほど）では到底追いつけません。そんなところにも野生の生き物の力を魅せつけられ、深い感動を覚えます。

12 しちぐゎち

女性の社長率、全国一位！

女性の社会進出が重要視される昨今。実は、沖縄の女性の起業率は、10年連続で全国1位。2022年帝国データバンク調べによると、全国119万社が対象で、沖縄の社長1万2914人のうち、女性は1496人で11・6％となり、徳島と並んで全国トップ。上位を占めるのは青森、佐賀、奈良県など。沖縄の女性社長率の高さは、観光や飲食など、女性が起業しやすいサービス業が産業の中心であること、低賃金で共働き世帯が多いことなどが背景に挙げられます。また、「子育てしながら勤めるのは難しいから起業した」という友人もいました。

私は勤めていた雑誌が休刊となり編集部全員が解雇され、泣く泣く起業という流れでした。南国の人は、愛情深くて、働き者な女性がたくさんいます。男性も、公園でお昼寝している人がいるのも事実ですが、真面目に働く人、全国・海外展開をしている実業家もたくさんいます。

13｜しちぐゎち

7月13日

104 / 365

馬と一緒に海で遊ぼう！

夏の楽しみのひとつが、馬と一緒に海で遊ぶこと。そんなことできるの？ と思うかもしれませんが、できるんです。馬に乗りながら海の中を歩いたり、馬の尻尾につかまって、海に浮かびながら、馬に引っ張ってもらったり。馬と一緒に海で遊ぶ感動と言ったらありません。

海では、鞍を置かない裸馬の状態で乗ります。お尻に馬の温かい体温を感じながら、足は海水の中に浸っているため、全身で動物と大自然の息吹を感じ、「生きているなー！」と喜びに包まれます。

沖縄には沖縄本島、久米島、宮古島、与那国島などに乗馬クラブがあり、夏の体験メニューの一つとして、海での馬遊びを取り入れています。我が家は何度も、久米島の久米島馬牧場さんで遊ばせてもらっていました。最高の夏の思い出ができます。

7月14日

14 しちぐゎち

105 / 365

産後の味方、パパイア

「あぁ、美味しそうに実ってるな」。通りを歩いていると、個人邸の庭先でたわわに実るパパイアを見かけます。パパイアは、イリチー→130/365（千切り炒め）や煮物でいただくことが多くあります。栄養価も高いため、給食やお弁当にもよく出てくる日常の定番メニューです。

パパイアの実が女性の乳房に似ていること、実から白い汁が出ることとから、「母乳の出が良くなる」と言われています。私も産後によく「パパイアを食べなさい」と勧められました。実際に、栄養学的にも、ビタミン、カリウム、カルシウム、鉄分が豊富で、心臓や肝臓の機能を高めて、老廃物を除去したり、鎮痛抗菌作用や、消炎作用、便秘などの改善をしたりなど多くの効果が期待できる万能食材。だからこそ、栄養が必要な産後の身体に、美味しさが染み渡りました。

15 | しちぐゎち

7月15日

106 / 365

お中元の季節だよ

7月に入ると、スーパーや市場には、お中元コーナーがつくられ、沖縄産のブランド牛や豚肉、沖縄そばセット、調味料セット、南国フルーツセットなど、沖縄の贈答品が並びます。

お中元の商品の中で人気なのが、化粧箱に入った立派なマンゴー。よく見るオレンジ色のアーウィン種のマンゴーの他に、さらに高級で糖度の高い緑色のキーツマンゴーも定番の贈答品になりました。遠く離れた両親やお世話になった人、友人の顔を思い描きながら、商品を選ぶのはとても楽しい時間です。

贈答品とは別に、市場やスーパーでは、小ぶりのマンゴー5〜6個の詰め合わせパックも売られています。小さくても、味は大きいマンゴーと同じ。ちょっと贅沢したい朝、小さなマンゴーを切って食べるのも幸せな時間です。

7月16日

16 しちぐゎち

107 / 365

ビーサンコレクション

真夏も真冬も、近場へのお出かけは、一年中、ビーチサンダル。家に人が集まった時は、玄関がビーサンで埋め尽くされます。家族4人の我が家の靴箱も、半分近くがビーサンで埋まっています。

私の分だけでも、ギョサンと呼ばれる滑り止めが丈夫なタイプ、鼻緒に飾りがついた可愛い系、スポーツブランドやお気に入りのブランドのもの、和風のビーサンや、ホテルのアメニティなど、その数、7足以上ありました。買うときのポイントは、デザイン性はもちろんのこと、履いた時の感触や、鼻緒の感触、底面が滑りにくいかどうかなどもとても重要。

行先や気分によって使い分けるだけでなく、それぞれのサンダルには思い出と思い入れがいっぱい。ビーサン達は、島暮らしを足元から支えてくれる、言わば同志的な、愛する存在なのです。

17｜しちぐゎち

7月17日

108 / 365

フェンネルは胃の薬

ふわふわの葉の感触がたまらなく好きで、そっと鼻を近づけると、甘い香りが漂ってくるフェンネル。沖縄では、イーチョーバーの名前で親しまれ、漢字で書くと胃腸薬。その名の通り、胃腸薬として食べられてきた薬草です。

魚料理と合わせると臭み取りになり、肉料理に合わせると、スパイシーな甘い香りが食欲をそそります。料理の上に、ふわふわの葉をふわりとのせるだけでも、見た目も栄養素も格段にアップします。

ヨーロッパでは、「フェンネルを見かけて摘まない者は悪魔だ」と言われるほどに愛されているハーブ。種はフェンネルシードと呼ばれ、スパイスとして活用。消化を助け、口臭消しに効果があるとされ、インド料理店などで、食後に渡される茶色い種は、このフェンネルシードです。

7月18日

18｜しちぐゎち

109 / 365

片方だけ降る「カタブイ」

空を見上げると、あっちは降っていて、こっちは降っていない。片方だけ降っている雨のことを、カタブイ（片降り・片降い）と言います。夏の沖縄特有の気候現象のことで、自宅のテラスから海を見ると、右側には黒い雲があるけど、左側は青空なんて、光景がよく見られます。

さっきまで暑かったのに、あれ？ちょっと涼しい風が吹いたかも？と思ったら、カタブイが来るサイン。空を見上げると、黒い雲が頭上を覆っていて、大粒の雨がポツポツと降り始め、しだいにバケツをひっくり返したような大雨が数十分ほど続きます。そして、降るだけ降ったら、今度はぴたりと雨がやみ、またカラッとした快晴になる。

どんなに天気が良くても、突然大雨が降るので、洗濯物や車の窓の開けっ放しには要注意。だから、沖縄の家の洗濯干場は屋根がある家が多いのです。

謝れる人が、徳の高い人

黄金言葉（くがにことば）

譲（ゆじ）りただ譲（ゆじ）り
譲（ゆじ）るふどぅ我胴（わどぅ）ぬ
為（たみ）なゆる事（くとぅ）ぬ
あゆらでむぬ

榕陰痴翁（よういんちおう）

意訳

「譲れば譲るほど、いいことがあります。どんどん譲りましょう」。時として、感情的には譲りたくない、謝りたくないと思う時もあります。そんな時こそ、この「譲りただ譲り」を思い出し、負けるが勝ち。争いをさけることで、徳が積まれます。譲れる人、謝れる人が、徳の高い人。軽やかに譲り、謝れる人でいたいものです。

海のレジャーにご注意!

7月の第3月曜日は海の日。ビーチでは、ビーチパーティを楽しむ人で賑わい、沖縄旅行に来る観光客も増えてくる季節。この頃から、ニュースでよく取り上げられるのが、海の事故と、リーフカレントへの注意喚起です。リーフカレントとは、サンゴ礁の浅瀬において、外海への強い流れのこと。サンゴ礁の浅瀬は穏やかでも、このリーフカレントの強い流れにつかまってしまうと、泳いでも泳いでも前に進まず、あっという間に流されてしまい、事故につながる危険性があります。

リーフカレントを見極めるには、リーフの外と内の境目にある白波が途切れている場所(リーフギャップ)を見つけることが大切です。潮の満ち干きや海の流れによって、大きく潮の流れが変わりますので、重々注意が必要です。海遊びを楽しむためにも、海の危険をしっかり理解して、潮の流れ、安全を確認しながら遊びましょう。

21 | しちぐゎち

7月21日

112 / 365

海で待ち合わせ

夏休みや週末の朝、起きてみたら、天気が最高！ そんな日は、午後遅めから海に行こうと盛り上がります。昼間は暑すぎるので、外に出ません。お友達も誘おうとなった時、誘い文句はとっても簡単。「今日、○○のビーチに、何時頃に行くけど、一緒にどう？」。お相手家族も、予定が何もなければ、「行く行く！ じゃあ、現地でね」と約束完了。

ビーチで待ち合わせをして、ひとしきり遊びまくったら、「じゃあ、またねー！」と、シャワーも浴びず、タオルを巻いて帰ります。

こんな日の夜は、「ああ、今日も楽しかった！」とすぐに爆睡！ 使ったお金は0円。ひょいひょいっとした気楽さがとても心地よい。小さな幸せって、きっと気楽で気軽なもの。

22 しちぐゎち

113 / 365

うちなーぐちのラジオ体操

夏休みといえばラジオ体操！ 沖縄でラジオ体操の曲が流れると、メロディーは同じなのに、アナウンスの言葉が全く違います。初めて聴く人は驚くでしょう。

そう、沖縄で流れるラジオ体操の多くは、うちなーぐち（沖縄の方言）バージョンなのです。聴き慣れたラジオ体操のイントロと共に、「グスーヨーチューウガナビラ（みなさん、こんにちは。お元気ですか？）ラジオ体操第一ハジミティナービラサイ（始めましょう）」と元気な声。

さらに軽快なリズムで、「ティーチ（1）、ターチ（2）、ミーチ（3）、ユーチ（4）」と続きます。

慣れてきたら、むしろうちなーぐちバージョンの方が、日常のラジオ体操になってきます。

23｜しちぐゎち

7月23日

114 / 365

シュノーケル天国

梅雨が明ける6月末頃から10月頃までの4ヶ月間は、シュノーケル天国！ 魚がお友達と言ってもいいくらい、海に通って、潜って遊ぶ毎日のスタートです。

灼熱の太陽が照りつける陸上から、海の中に潜るとそこは別世界。スーッと伸びた背びれ、黄と黒の模様がかっこいいツノダシ、妖艶な赤いハナゴイ、青いマスクをしたようなアデヤッコ、縞模様が美しいタテジマキンチャクダイ、鮮やかな青緑色のイラブチャーなど。色とりどりの魚たちが織りなす世界は、まるで、海の中の舞踏会のようです。生き物の多様性に、時間を忘れて見惚れます。海の中は何度潜っても飽きることはなく、「なんと美しい世界なんだろう」と、言葉にならないパワーをもらいます。海の中を泳ぐ気持ちよさは、夏の大きな喜びです。

24｜しちぐゎち

幻の太陽 グリーンフラッシュ

太陽が水平線に落ちる瞬間、緑色に光るグリーンフラッシュ（緑閃光〔りょくせんこう〕）を知っていますか？ 様々な気象条件が揃わなければ現れない、まだ謎の多い超神秘的現象です。人生で一度は見てみたい！と言われる自然現象ですが、実は、沖縄は絶好の観測場所。沖縄本島の西海岸や、石垣島をはじめとする離島では、数多く観測されています（写真は、石垣島天文台撮影）。

私は一度、子どものサッカー教室の帰り道、ちょうど水平線に夕陽が落ちるところだったので、「もしかしたら」と思って、車を降りて見ていたら、本当に一瞬だけ、緑色の光がピカッ！ 偶然にもグリーンフラッシュを拝むことができました。15年間、毎日のように夕陽を眺め続けていますが、出会えたのは今のところ1回きり。あの時の感動は今でも忘れられません。大気がとても澄みわたっている日は、グリーンフラッシュ発生のチャンスです。

25 | しちぐゎち

7月25日

116 / 365

麦わら帽子LOVE

夏のお出かけに、麦わら帽子は欠かせません。見た目の可愛さに加えて、灼熱の日差しから守ってくれる麦わら帽子は、夏の相棒のような存在です。つばの広い帽子、リボンのついた帽子、折り畳みができる帽子など種類も様々。私は、麦わら帽子が大好きすぎて、手元にあるのは6つほど。その日のファッションや出かける場所に応じて選んでいます。

近年、沖縄で注目を浴びているのが「琉球パナマ帽」です。アダンの葉で編んだ沖縄産の帽子で、明治から昭和初期にかけて、沖縄の輸出品としての主要産業でしたが、乱伐による原料不足で衰退。しかし、ここ数年、この琉球パナマ帽を復活させようという動きが大きくなり、各地域に素敵な作り手さんが増えています。私は宮古島で地元の女性が編んだアダン葉帽子を買いました。とても軽くて通気性がよく、かぶるだけで豊かで幸せな気持ちになります。

7月26日

26 ｜しちぐゎち

117 / 365

七夕は、お墓掃除の日

7月7日は、おり姫とひこ星が一年に一度会えると言われている七夕の日。ロマンチックな日として有名ですが、沖縄では、旧暦七夕の日はお墓掃除をするのが習わしです。旧盆を迎える前に掃除をして、ご先祖様を気持ちよくお迎えできる準備をします。夏場の暑い時期ですが、沖縄の友人たちは、「汗を流しながらお墓の掃除をしていると、気持ちが静まり、『待っているからね～、迷わず帰ってきてね～』と、ご先祖と会話ができるような気持ちになる」と言っていました。

また、旧暦七夕の日は、その昔、洗骨の日でもありました。洗骨とは、遺骨を墓から外に出して、海水やお酒で洗う儀式のこと。この風習は映画「洗骨」にもなっており、監督は、照屋年之（てるやとしゆき）（ガレッジセールのゴリ）さん。洗骨を通して、命のつながり、家族の絆が描かれています。

27 しちぐゎち

7月27日

118 / 365

沖縄は、避暑地？

沖縄の夏といえば、暑いイメージが強いですが、実は近年、日本本土から来る旅行者の中で「沖縄の方が涼しい！　もはや、沖縄は避暑地みたい！」と驚く人が増えています。

というのも、東京や大阪、札幌など日本本土の各地で、夏場は35度以上の猛暑日が続きますが、沖縄では最高気温が35度以上になることはほとんどありません。

また、都心部で吹く風が猛烈に暑い熱風なのに対して、沖縄では、日差しは強いものの、木陰に入ると、潮風が吹き抜け、その心地よさったらありません。

さらに、時折降る強い雨が暑さを和らげ、木々に水を与えてくれるのも大自然の贈り物のように感じられます。

28 しちぐゎち

119 / 365

夏の楽しみ 氷ぜんざい

夏の美味しいものといえば、氷ぜんざい。これがもう本当に美味しくて、美味しくて。

日本本土のぜんざいは小豆を甘く煮た温かいものが一般的ですが、沖縄の氷ぜんざいは、黒糖で甘く炊いた金時豆の上に、かき氷をたっぷりのせた冷たい食べ物。

初めて食べる人は「何も、シロップがかけられていない！」と勘違いしてショックを受けるのは笑い話で、氷の山を掘ると、中から甘い金時豆と黒糖の煮汁が顔を出します。

暑い日に、シャリシャリと氷をすくいながら、甘い煮汁と混ぜながら食べる…この至福の時間ったらありません。

地域ごとに氷ぜんざいの名店があり、氷がフワフワ、シャリシャリ、金時豆と黒糖の煮汁の味の絶妙な違いが、ぜんざいファンを魅了します。

コウモリの恋の歌

夕暮れの道を歩いていると、薄暗い夜空をサーっと黒い影、コウモリが飛んでいくことがよくあります。最初はとても驚いたのですが、徐々に慣れて当たり前の光景になりました。

浜比嘉別邸（はまひがべってい）→364/365の前のフクギの木で、夜中にコウモリが数羽でキャーキャーと騒いでいることがよくあり、あまりの興奮している様子に、まるでパーティのようだなと思っていました。後日、生き物に詳しい名嘉睦稔（なかぼくねん）さん→64/365に聞くと、「それはね、オスとメスが出会ってランデブーしているんですよ。恋の歌なんです。1羽だけじゃなくて、5、6羽いる。人間にはギャーギャーとしか聞こえないけど、グループの中で相手を惹きつける声を出しているものがいる。声と所作で表現するんです」と教えてくれました。コウモリの鳴き声が恋の歌だと知ると、今まで以上に彼らの恋を応援したくなります。

30 | しちぐゎち

沖縄の交通事情

沖縄が本土復帰をした6年後、1978年7月30日、交通事情が一夜にして変わりました。アメリカ統治下で車の進行方向が右側通行だったのが、左側通行に変更されたのです。これを通称「730（ナナサンマル）」と呼びます。車のハンドルも、路線バスのドアも、右から左へと変わったため、復帰後最大のプロジェクトと呼ばれました。

沖縄で車の運転をする際は、雨の日が要注意！道路のアスファルトに石灰岩が使用されているため、滑りやすくなるのです。ヤンバルクイナやイリオモテヤマネコなどの希少動物にも要注意！

また、Yナンバー（米軍関係者）、「わ」「れ」ナンバー（レンタカー）が多いこと、街中では、渋滞や、バス専用道路の時間帯、駐車禁止区域にも注意が必要です。移動は車が便利ですが、那覇・浦添市内は、モノレールも立派な市民の足。最近では路線バスの旅も人気が出ています。

それぞれの豊年祭

一年の収穫に感謝する豊年祭。日本本土では秋に行われるところが多いですが、沖縄では、稲の刈り取りが終わる旧暦6月25日頃（六月カシチー）に行う地域と、旧暦8月15日に行う地域が多くあります。お祭りの中で行われるのは、ウシデーク（臼太鼓）、綱引き、棒術、獅子舞、三線（さんしん）など地域によって様々。奉納の形は違えども、共通するのは、地域の人が子どもからお年寄りまで、力を合わせて、感謝の気持ちを神様へ捧げること。

離島の豊年祭の中には、撮影禁止の場所や、部外者は入ってはいけない秘祭もあります。自分が住む地域以外のお祭りに行く際は、必ず、地元の人に確認をして、敬意を持って参加しましょう。

私の住んでいる浜比嘉島（はまひがじま）・浜集落の豊年祭（写真）は、集落の火の神（ヒヌカン）の前で行います。女性が舞踊を、男性は三線を弾き、感謝の祈りを捧げます。

8月1日

1 はちぐゎち

123 / 365

戦後の夢、オリオンビール

ビーチパーティや宴会などで欠かせないのが、オリオンビール。爽やかな軽い喉越しで、暑い夏の夕暮れや、仕事終わりに、ゴクゴク飲むのも最高です。BEGINの名曲「オジー自慢のオリオンビール」の歌詞どおり、人が集まる場所には必ずと言っていいほど、オリオンビールがあり、県内のビールシェアは脅威の50％超え！ オリオンビールは、戦後、アメリカの占領下にあった1957年に「沖縄ビール」として誕生。当時は、バドワイザーなどの輸入品が普及していて、沖縄県産のビールは「島グヮ」と呼ばれ、認めてもらえませんでした。そこで社員たちが、必死の営業活動をしたり、南国の風土にあった軽めの味に変更したりなどして、人気を高めていきました。今では、沖縄を代表するお酒となりましたが、オリオンビールを飲むとき、そこには、戦後を乗り越えてきた汗と涙、夢と希望があります。

8月2日

124 / 365

毎年の贈り物はパンツ

8月2日はパンツの日。パンツといえば、毎年、誕生日や帰省時に、私が父や兄に贈るプレゼントは、沖縄柄のパンツです。10年以上前に、空港で買った紅型(びんがた)柄のパンツを二人ともとても気に入ってくれて、ボロボロになるまではいていたので、それ以降、毎年のように実家に帰るたびに、空港の売店で沖縄柄のパンツを買って帰ります。

売店や雑貨店には、沖縄らしい男性もののパンツが種類豊富に置いてあります。柄はシーサーやハイビスカス、海、ジンベエザメ、パイン、エイサーなど。形や素材も、綿100%のものや、伸縮自在のボクサーパンツタイプなど選り取りみどり。はいた時に、沖縄の風を感じて、元気になれるそうです。

沖縄生まれのハチミツ

8月3日はハチミツの日。沖縄では、自然の森から作られるハチミツが、小浜島（こはまじま）や那覇市首里、南城（なんじょう）市など、各地でたくさん作られています。沖縄県産のハチミツはどれも美味しく、中でも、私のお気に入りは、ヤンバル（沖縄本島北部）で採れる、苦くて甘いハチミツです。奥深い山に自生する「アサグラ」（和名フカノキ）の花を蜜源としており、甘さと苦さのバランスが絶妙で、何度でも食べたくなる美味しさ。ただ、大自然の恵みなので、採れる年と採れない年の数に差があったり、採れたとしても数に限りがあったりと、かなり貴重な逸品。ファーマーズマーケットや森の中の販売所で並んでいると、手が勝手に買い物カゴに入れてしまいます。

料理に使ったり、子どもたちと舐め合ったり、喉のケアに重宝したり。沖縄産のハチミツは、いつも台所に常備したい宝物です。

龍のウロコ、ドラゴンフルーツ

「赤と白、どっちが好き?」ドラゴンフルーツが出回る時期になると、市場で買い物をするときに、こんな質問が繰り広げられます。ドラゴンフルーツには赤色と白色、時にピンク色の果実があり、色によって味わいが違うのです。私は、白色よりも甘みが強い赤色が好き。旬の夏時期になると、朝食のフルーツはいつもドラゴンフルーツ。白色が入ると、見た目もカラフルで豪華になるため、お客様がお越しの時は、2色のドラゴンフルーツを用意します。一度見たら絶対に忘れないその外見は、龍のウロコにも見えることから、ドラゴンフルーツという名がついたそうです。

ビタミン各種、葉酸、鉄分、マグネシウムなど栄養満点。解毒作用も強く、便秘予防にも絶大な効果があります。翌日の便の色が赤くなることがありますが、病気じゃないので大丈夫! お花のつぼみは、サラダや天ぷらでいただいてもおいしいです。

盛夏に吹く風「真南風（まはえ）」

一年で最も暑いこの時期、南から吹く季節風を「真南風」と呼びます。沖縄の古い家の座敷は、南・南西向きのことが多く、家の中にいても、風が吹き抜け、温度を下げてくれるのが体感としてわかる瞬間があり、その気持ちよさったらありません。とは言っても、夏真っ盛りの日中は、日差しが刺すように痛いので、日中に外を出歩くことはまずしません。畑人（はるさー）（農家）も作業は早朝か夕方に。日中はお昼寝をしたり、家の中で作業をしたりと、ゆっくり過ごします。

夕方になったら海へ。ほてった体で海へ飛びこみ、プカプカ浮かべば、天国のような気持ちよさです。真夏は19時半頃まで明るいので、夏場はついつい夕食も就寝時間も遅くなってしまいます。縁側で、真南風にあたりながら、星や月を眺めお酒を飲む時間も、格別のくつろぎタイムです。

8月6日

128 / 365

命と平和

私の祖父は広島の原爆の被爆者で、8月6日と9日は、被爆3世の私にとって、特別な日です。沖縄にいても、広島と長崎を想う気持ちは変わりません。そんな我が家の9歳の娘が、学校の平和学習の宿題で、こんな詩を書きました。

タイトル「命と平和」
「今、私たちはここにいる。ここにいるということは命があるということ。命はご先祖さまがくださったおくりもの。命があるから感じられる。命があるから、考えられる。平和だから生きられる。平和だから勉強できる。平和だからなんでもできる」

娘の詩は校内で紹介され、みんなで平和について話し合ったそうです。沖縄では、いかにして戦争の悲劇を後世に残し、風化させないかが大きな課題となっています。

世界が平和でありますように。祈りの日々が続きます。

129 / 365

夏場の救世主、ゴーヤー

真夏の暑さ盛りの頃、ゴーヤーのピクルスを山盛りにお皿に入れて、子どもたちと競うように食べます。この習慣は、長女が2歳の頃から続いていて、「子どもはゴーヤーが苦手」というイメージは吹き飛びます。風土、季節に応じて、身体は必要なものを欲している、ゴーヤーこそが、沖縄の夏を乗り切る救世主なのだと、子どもの食べっぷりを見ながら学びました。

ゴーヤーは水にさらすと苦味が和らぎますが、苦味成分モモルディシンに、解熱、解毒、利尿作用があるため、「ゴーヤーの苦味を取るなんてもったいない」という料理人もいます。栄養素が多いワタを取らない人もいます。私は、子ども向け、大人向けなどその時々で使い分けています。王道のゴーヤーチャンプルー→38/365のほか、漬物にしたり、天ぷらやサラダに入れたりしても美味しいです。

8 | はちぐゎち

8月8日

130 / 365

パパイアイリチー

8月8日はパパイアの日。パパイアは煮物やイリチーで食べることが多いです。豆腐の炒め物であるチャンプルー→38/365に対して、「イリチー」は出汁を使った炒め物のこと。パパイアイリチーをはじめ、チーイリチー（豚の血炒め）やクーブイリチー（昆布炒め）などの料理があります。

《美味しい作り方》

1 パパイア、ニラ、ニンジン、豚肉を千切りにする。パパイアは水にさらしてアク抜きし、水気を切る。
2 鍋にサラダ油を熱し、豚肉を炒め、脂が出てきたら、パパイア、ニンジンを入れてさらに炒める。
3 全体に火がとおり、脂がなじんだら、かつお出汁、塩、醤油を加えて、炒め煮にする。
4 パパイアが透き通ってきたら、火を止めて、ニラを加えて出来上がり！

8月9日

9 ｜はちぐゎち

131
/
365

食べると1日寿命が延びる

8月9日は薬草の日。沖縄の伝統的な薬草の王様とも言えるのが長命草（ちょうめいぐさ・方言名でサクナ）です。海岸沿いや岩場に自生し、生命力の強さから「ひと株食べると、1日寿命が延びる」と言われるスーパーフード。栄養価が非常に高く、大手化粧品会社が与那国島の長命草を使った美容ドリンクを開発し、全国で販売をスタートしたことで、美容業界でも認知度が高まりました。

今や世界が憧れるスーパーフードですが、沖縄では家庭の畑やベランダで簡単に育てられます。葉は少し肉厚で硬めなので、千切りにして、パスタやサラダにあえたり、天ぷらにしたり、料理方法は様々。何より、今日は緑が足りないかも？という日に数枚料理に加えるだけでスーパーフードのご利益にあずかれるから、長命草は主婦の味方、ありがたい存在です。

10 | はちぐゎち

8月10日

132 / 365

フォトジェニックな洞窟

シュノーケリングで海遊びをしている最中、ふとしたなりゆきで、小さな洞窟に出会うことがあります。洞窟の中から見る海の青、空の青といったら、それはもう絵画のようで、時間を忘れて見入ってしまうほどの美しさです。

写真を撮ると、今流行りのSNS映え写真が誰でも簡単に撮れてしまうから、最近では、写真好きの人の間で、フォトジェニックな洞窟巡りも流行っているんだとか。まさに自然の造形美！　静かでひんやりとした洞窟の中で、ぼーっと海や空を眺める時間は、何物にも代えがたい至福の時間です。

また、沖縄県内には、「青の洞窟」と呼ばれるスポットがいくつかあります。洞窟の内部に差し込む太陽の光が反射にして、洞窟内部の海が青く輝いて見える現象の総称です。満潮干潮によって状況が変わることから、青の洞窟に行く際は、ガイド付きツアーに参加するのが安全です。

台風前のお花摘み

台風が来ると決まったら、台風対策に奔走しますが→146/365、大変な中でも楽しみなこともあります。それはお庭のお花や植物を摘むことです。

暴風雨でお庭のお花はほとんど散ってしまうため、その前に、野菜は収穫し、お花は摘んでお部屋に飾ったり、ハーブは贅沢にフレッシュハーブティにしたり、ソースやジャム、シロップを作ったり、すぐに料理に使ったり。家の中はまるで収穫祭のような趣です。庭中のお花を摘んでいいとあって、娘は園芸用のハサミとカゴを持って、庭中をめぐって、花束を抱えて戻ってきます。

台風が去るまでの、ヤーグマイ（家の中にこもる）時間、摘んだお花やハーブが、お部屋の中を明るく、料理を美味しく、お風呂時間も楽しませてくれます。同時に、畑人（ハルサー）（農家）の人のご苦労を思うと、頭が下がります。

世界が恋する「ケラマブルー」

那覇港から高速船で30〜50分で着ける慶良間(けらま)諸島は、沖縄本島に住んでいても、気軽にふらっと遊びに行きやすい離島の一つ。慶良間諸島は、座間味(ざまみ)島、阿嘉(あか)島、慶留間島、渡嘉敷(とかしき)島などからできています。４つの島と、数多くの無人島からできる内海は、豊かな珊瑚礁を育む海域として、２００５年にラムサール条約の登録地となりました。

船が進むにつれ、瑠璃色に輝く海は「ケラマブルー」と呼ばれます。実はここ、日本人以上に、外国人に有名な場所で、世界中のダイバーの聖地と呼ばれています。ミシュラン・グリーンガイドでも二つ星がついたことから、「世界が恋する海」と呼ばれるようになりました。

多くの旅行者の目的がダイビングやシュノーケリング。ウミガメや色とりどりの熱帯魚との出会いを求めて、海を愛する人たちで賑わいます。

13 ｜はちぐゎち

ご先祖様をお迎えするウンケー

沖縄のお盆は旧盆。旧暦7月13日～7月15日は多くのお店が休みとなります。旧盆の初日をウンケー（お迎え）、2日目をナカビ、最終日をウークイ（お送り）と呼び、ご先祖様と過ごす特別な3日間をとても大切にしています。

初日のウンケーは、ご先祖様を自宅にお迎えする日。朝から仏壇を掃除して、果物の盛り合わせや「ウンケージューシー」（沖縄風炊き込みご飯）、「グーサンウージ」（ご先祖様のための杖代わりのサトウキビ）などを供えます。日暮れに門前に灯りをともし、「ヒラウコー」（平たい線香）を焚いて、いよいよご先祖様をお出迎え。ご先祖様が家に入ると、仏壇の前で、家長が「今日から3日間、おもてなしするので、どうぞゆっくりしていってください」と挨拶。家族も順番に近況報告や日頃の感謝を伝えていきます。夕食には、ご先祖様と一緒にウンケージューシーを食べます。

親戚回りのナカビ

3日間の旧盆のうち、2日目をナカビと呼びます。朝、起きたら、ああ、ご先祖様たちが今日は一緒にいるんだな、と思うと、ちょっとドキドキ、ソワソワする特別な日。ナカビは仏壇を持たない家族が、仏壇のある親族の家に挨拶をして回ります。多くの人が、ご先祖様へ挨拶に回るため、ナカビは道路の渋滞に注意。スーパーでは、旧盆用の供え物コーナーがあり、焼き菓子やお米、洗剤などがずらりと並びます。

仏壇のある家は、朝起きたらまずは仏壇に「ウチャトゥ」（茶）を供えます。この時にご先祖様も目覚めるそうで、その後に朝ご飯をお供えします。ナカビは一日中ご先祖様がいらっしゃるので、仏壇には朝昼夜と3食を供えます。また、親戚が挨拶に来るため、冷やそうめんや、ぜんざい、お菓子などでもてなします。

8月15日

15 | はちぐゎち

137
/
365

ご先祖様があの世に帰っていく日

旧暦7月15日は旧盆最終日の「ウークイ」。ウンケーでお迎えしたご先祖様が、あの世に帰っていく、旧盆行事のクライマックスです。ウークイの儀式は夕方以降に。御願行事の定番料理「ウサンミ」（かまぼこや豚三枚肉、ゴボウ、コンニャク、お餅など）を供えます。仏前にご挨拶をしたら、みんなでウサンデー（お供物のご馳走を家族でいただく）して、ご先祖様と最後の晩餐を楽しみます。ウサンデーが落ち着いたら、仏前へ移動。ご先祖様が天国で使えるようにウチカビ（あの世のお金）を金属のボウルに入れて焚き、仏前のお酒をかけて火を消します。そして、ウチカビを燃やしたボウルを持って門前へ出て、祝詞（グイス）を唱えながら、ご先祖様をお見送りします。ウークイの夜は、家族総出でウチカビを燃やす光景が集落のあちこちに。子孫が揃って手を合わせている様子は、愛おしく、幻想的な空気に包まれます。

16｜はちぐゎち

8月16日

138 / 365

エイサー太鼓にチムドンドン

夏至南風（カーチーベー）が吹き、肌にうっすら汗がにじむ夏の夜になると、どこからともなく、風にのって聞こえてくるのがエイサー太鼓や三線の音色です。地域の公民館や公園では、青年会が旧盆に向けてエイサーの練習を始めるため、エイサー太鼓を聞くと、この季節がまたやってきたなとチムドンドン（ドキドキ）します。エイサーは、本土の盆踊りにあたる沖縄の伝統芸能の一つ。旧盆のウークイの日に、先祖をあの世に送るための踊りで、青年会はそれぞれの地域を「道ジュネー」（踊りながら練り歩く）して巡ります。汗を流しながら、懸命に踊る姿は美しくも勇ましく、そのソウルフルな夏の音は、身体の奥の丹田（お腹の下あたり）まで響いてきます。

また、エイサーの練習が若い男女の出会いの場ともなっていて、エイサーには、2つの意味でドキドキな青春の思い出が凝縮されています。

寂しがり屋だからこそ

やちむんの里→17/365内にある「北窯」→43/365で、4人の親方が営む4工房は、隣り合わせに並び、釉薬や道具も貸し借りするほど、家族みたいに仲良し。陶芸家にとって、とても大切な釉薬を貸し借りするなんて工房は、日本中探してもないんじゃないかと、親方たちは笑います。「それほど、助け合わないと生きていけなかった」とも。松田米司(まつだよねし)さんは「時には、喧嘩や小競り合いもあったけど、そんなときは、なんのための小競り合いかを考え直すんです。僕たちのゴールは、いい焼き物を作るためだよね。じゃあ、仲直りって」と話します。與那原正守(よなはらまさもり)さんは、「寂しがり屋だから続けてこれたんですよ。窯焚きの時、火を見ながら、月を見ながらお酒を飲んで、それがいい時間なんです」と茶目っ気たっぷりに話してくれました。写真は、第158回窯焚き直後の登り窯。器の誕生という大仕事を終えた窯は、出産を終えた母体のようでした。

18 はちぐゎち

8月18日

140 / 365

台風が来ないと困る！

「台風来ないねー、そろそろ来てもらわないと困るね」「あそこの海はもう危ないよ」。台風があまり来ない年は、こんな会話が繰り広げられます。なんの話かというと、皆、サンゴ→339/365の白化現象を心配しているのです。

サンゴに適した水温は25～28度ほど。海水温が30度を超える日が長期間続くと、サンゴの白化現象が起こります。環境が回復すれば、元に戻りますが、白化が続くとサンゴは死んでしまいます。夏場は、定期的に台風が来ることで、海の中がかき混ぜられ、水温が適温に戻ります。

人間にとっては脅威の台風も、自然界にとってはなくてはならない存在。大自然の現象には全て意味があり、見事なバランスをとって世界が成り立っていることを教えられます。

鳥の声にウソはない

「鳥の声にウソはありません。自分の行動と声が一体になっている。だから、ちょっとした声を聞くだけで、今、何をしているのかが分かります。

まだナワバリがはっきりしていないんだな、巣作りが始まったな、近くに巣があるな。卵が生まれた、雛になったで、声が全然違う。雛が外に出る直前と、雛が外に出たでも声が変化します。これは経験則で、観察していると、大体予測がついて、辻褄が合うようになります。

鳥も猫も犬も、動物はウソがない。ただ、犬や猫は、人間と暮らしているから、人間がこうするとこうするというのを身体的に受け取ってしまっている。だから、わざと困らせることをすることがある。それは、彼らは人間の行動に反応しているだけで、責任は人間側に理由があります」。（名嘉睦稔（なかぼくねん）さんインタビュー→164,171,187,191,211,218,232,250,264/365）

20 | はちぐゎち

8月20日

142 / 365

沖縄の名字ランキング

沖縄の名字は、日本本土では珍しい響きばかり。理由は、琉球王国だったこと、琉球語が確立されていたこと、中国との交易上の関係などがあります。

〔沖縄に多い名字ランキング20〕
1比嘉、2金城、3大城、4宮城、5新垣、6玉城、7上原、8島袋、9平良、10山城、11知念、12宮里、13仲宗根、14下地、15照屋、16砂川、17城間、18仲村、19新里、20新城

「名字の由来net」より引用

〔読むのが難しい名字〕
護得久（ごえく）、我如古（がねこ）、饒平名（よへな）、南風原（はえばる）、喜屋武（きゃん）、仲村渠（なかんだかり）、後浜門（くしはまじょう）など。

時々、大和（日本）風の名字もお見かけします。沖縄風の名字だと差別を受けるので、先祖が改姓をしたという話をよく聞きます。

21 はちぐゎち

サンゴに優しい日焼け止め

夏に観光客が押し寄せる沖縄の海では、今、日焼け止めに関する環境問題が叫ばれています。それは、夏の終わり頃になると世界トップクラスの透明度の高い海が、日焼け止めの成分で海水が汚れてくること。実は、世界中のほとんどの日焼け止めが、サンゴを死なせてしまう有害な成分を含んでいることが科学的に分かってきました。「海で遊ばせてもらうのに、海を汚すのはどうなの？」と日焼け止めをつけないことを選んだり、環境に配慮した商品を選んだりする人が増えてきました。

沖縄産の「サンゴに優しい日焼け止め®」（ジーエルイー合同会社）は、ココナッツオイルやミツロウ、ラベンダー、ユーカリなどのサンゴに負荷を最大限かけない成分を配合。可愛いパッケージに爽やかな香りで嬉しさが倍増します。ハワイやパラオでは、すでに海水に有害な日焼け止めの規制が始まっています。

22 はちぐゎち

8月22日

144 / 365

絵本で感じる島の祭り

絵本『ちいさな島のおおきな祭り』（浜田桂子・新日本出版社刊）は、竹富島で六百年続く「種子取祭」（タナドゥイ）で、島の小学1年生の女の子なつみが、初めて舞台に立つお話です。

多くの神事と芸能が残る島の中でも、種子取祭は一年で最も大切な行事。「祭りのやくわりをしっかりはたします」と神様に約束する儀式を皮切りに、島の人たち、なつみの家族は、祭りの準備を始めます。

毎日、踊りや劇の練習をして、舞台となる御嶽（うたき）の掃除をして、お餅を作って、粟の種をまく「種おろし」の儀式をして。いよいよ「種子取祭」の本番の日！　舞台に立ったなつみたちに起こる想定外のクライマックスが、島を守る神様の存在をより強く感じさせてくれます。

一人の少女の成長を通して、島の風と、神様の気配が伝わってくる1冊です。

23 | はちぐゎち

沖縄三大無責任言葉

沖縄でついつい笑っちゃう、あいづち言葉がこの3つ！「**だからよ〜**」（そうだねえ）、「**なんでかね？**」（どうしてかなあ？）、「**であるわけさ**」（そうなんですよ）。これは日常的に使われていて、その便利っぷりにいつも笑ってしまいます。例えば、「なんで遅刻した？」「だからよ〜」「なんでこうなっちゃったわけ？」「なんでかねえ？」「もう、どうしてくれるわけ？」「であるわけさぁ」なんて具合。「だからよ〜」と言われると、その続きとして理由や言い訳が来るのかと思いきや、その言葉に続きはありません。これで終了なので、聞く側は待ってはいけないのです。それ以上責めてはいけない、聞いてはいけない空気感さえ漂ってきます。

沖縄言葉の専門家・俳優の藤木勇人さんは、この3つを「沖縄三大無責任言葉」と名付けていました。お見事!!

24 はちぐゎち

8月24日

146/365

外と中の台風対策

台風が発生したらやっておくこと。

1、外に置いてある飛ばされそうなもの（植木鉢やホース、ゴミ箱など）を片付けたり、紐で固定したりする。
2、食材の買い出しをする。
3、窓や雨戸をしっかり閉める。必要に応じて、外から板を貼ったり、補強したりする。
4、停電時に備え、懐中電灯やキャンドルを準備する。
5、パソコンや携帯電話などを充電する。
6、ペットボトルに水を入れて冷凍しておく。
7、断水時に備え、お風呂に水を貯めておく。

他にも図書館で大量に本を借りておくなど、子どもの暇つぶし対策をしておくと、後々楽ちん→165/365。最新の台風情報を確認しておくことも大切です。

8月25日

25 はちぐゎち

147 / 365

空から沖縄を見て40年

沖縄の離島を結ぶ航空会社の機長をしている友人は、沖縄の空を飛んで40年。「空から沖縄を見て、どこが一番きれい？」と聞くと、「全部！ 海岸線はどこも本当にきれいで、どの島も素晴らしい！」と熱い言葉が返ってきました。「南大東島の切り立った海岸線も、下地島周辺の海の色も、西表島あたりの島なみも、40年間飛んでいても飽きない。海と空から力をもらっています」。友人は横浜出身。「航空大学校時代は教官を怒らせるのが得意な劣等生だった」そうです。縁あって、21歳の時に今の会社に入社しました。「若かったからジャンボや国際線に憧れていたけど、僕が操縦していたのは19人乗りのプロペラ機。設備も機能も悪い、その上、離島の滑走路は800メートルが多かった（平均的な滑走路は2000～3000メートル）。おかげで腕だけはよくなりました」→224/365

お金の無理はしない

琉球いろは歌

無理の（ヌ）銭金（ジンガニ）や
仇ど（ドゥ）なて（ティ）行つる（イチュル）
義理よ（ジリユ）思う詰みて（ウミチミティ）
無理にするな

意訳

「無理をして得たお金は、仇となって返ってきます。
道理に合わないお金のやり取りはやめましょう。」

27 ｜はちぐゎち

気分爽快！ 滝壺遊び

「キャーーーーーー！」。歓声なしでは遊べない滝壺遊びは、大人も子どもも大好きな夏の遊びのひとつ。ヤンバル（沖縄本島北部）や西表島など、山深い地域で遊ぶことができます。岩場は濡れているので、足元に十分注意をして、滝の下まできたら、勇気を出して、滝の中に入ります！ 頭上に落ちてくる滝の衝撃は、痛気持ちよく、手を合わせて、数秒間、滝に打たれてみると、気分爽快！ 生まれ変わったような気持ちになります。滝の衝撃や冷たさに慣れてきたら、頭のてっぺんを打たれたり、肩を中心に打たれたり、滝が当たると気持ちいい場所を探してみるのもオススメです。

滝遊びは、危険も隣り合わせなので、エコツアーガイドさんや、その地域の自然環境に詳しい人に情報を聞いて、安全対策をとることがとても大切。足元が滑りやすいので、マリンシューズは必携です。

28 | はちぐゎち

8月28日

150 / 365

魔物はまっすぐしか進めない？

路地を歩いていると、「石敢當（いしがんとう）」と書かれた小さな石碑みたいなものが、ブロック塀に貼られている光景をよく見ます。なんのためにあるかと言いますと、魔除けなんです。沖縄では、魔物はまっすぐしか進めないと言われているため、丁字路や三叉路に、魔除けとして石敢當を貼って追い払っています。地域によってはシャコガイを置いたり、最近ではシーサーの絵が書かれた石敢當もあったり、デザインや種類も増えてきました。数年前、私も買う必要に迫られ、どこで売っているのか調べると、なんと、普通にホームセンターで買えることがわかって、びっくり！　沖縄のホームセンターの代表「メイクマン」で、初めて石敢當がズラリと並んで売られているコーナーを見たときはワクワクしました。私は素材が大理石で高さ20センチ、横7センチほどのものを購入。ひとつ８８００円でした。これが高いのか安いのか、よくわかりません。

29 ｜はちぐゎち

台風時の定番、ソウミンタシヤー

「ソウミンチャンプルー」が市民権を得ていますが、厳密にいえば、豆腐の入っていない炒め物は「タシヤー」と呼ぶので、ソウメンの炒め物は、「ソウミンタシヤー」が正式名称。簡単に作れてお腹もふくれる、台風時の定番メニューです。だし汁を加えてやわらかくしたものは「ソウミンプットンルー」。お年寄りの方に喜ばれます。

《簡単な作り方》

1 ソウメンをたっぷりのお湯で茹でる。もみ洗いして、水気を切る（この後、油をまぶす人もいます）。
2 青ネギを小口切りにする。
3 フライパンにツナ缶を油ごと入れて、油が熱したら、1を入れる。箸でソウメンをさばくように強火で炒める。
4 塩で味付けをして、香り付けに醤油を少々。青ネギを散らして、出来上がり！

※ニンジン、ニラなど、好きな野菜を入れると豪華なおかずに。炒める際、焦げつく場合はだし汁を入れます。

答えを「出さない」技術

「沖縄の人は、自分の心に素直な人が多いって聞いたけど、それだと人と意見が違う時、喧嘩にならないの？」と、県外の女性から聞かれたことがあり、驚きました。「とんでもない、むしろ、心も和も大切にする人が多い印象です」。胸の内を言わなかったり、衝突をさけたり、言い回しがとても柔らかい。琉球王朝時代の外交術もそうであったとか。じゃあ、気が進まないことを頼まれたら、どうするのか？沖縄の人（ウチナーンチュ）の友人の答えは「断らないけど、やらない、か、のらりくらりする」。仕事を頼んだ側も、「なんでやらないの？」とは聞かず、「やりたくないのかな？忙しいのかな？まあ、いっか」となる傾向が多い気がします。気づけば私もその様になってきました。

答えを出さない、グレーでOK！な生き方は、白黒つけたがる現代人にとって、やさしく生きるための第三の選択肢かもしれません。

31｜はちぐゎち

153 / 365

クーラー冷えにご注意！

クーラー大好きな沖縄県民。「涼しさこそがおもてなし！」と考えているところがあり、お店ではクーラーが強めにきいている場所が多く、家庭もクーラーつけっぱなしの家がほとんど。

そうすると、知らず知らずのうちに、クーラーで足元が冷えていたり、冷たい食べ物や飲み物を摂りすぎたりして、胃腸に負担がかかりがち。

だからこそ、夏場は、足先の冷えや、内臓の調子をよく見てあげるように注意が必要です。

少しでも、足が冷えていたり、胃腸が弱っていたりしたら、すぐにケアを。足湯に入ったり、体を温める効果のある薬草や島野菜を摂ったりすることも、現代の南国の夏を健やかに過ごす方法の一つです。

1｜くんぐゎち

9月1日

154/365

台風はマングローブで

台風銀座と呼ばれる八重山諸島。12の有人離島の中でも西表島の船浮湾は、山に囲まれた湖のような静かな湾として知られています。そのため、嵐の時は、この周辺を通過する船の避難海域になっています。「離島では、台風が来るとわかると、満潮時間に合わせて、船浮湾の中にあるマングローブ林に避難させます」と話す池田卓さん→13/365。潮位が低いと、マングローブ林に入るのが難しくなるため、大潮、小潮、満潮時間をチェックして、船を避難させます。小潮の時期に満潮時間を逃すと、次のチャンスは24時間後になってしまいます。

「ボートをマングローブ林の中の水路に浮かべ、どこにもぶつからないように、前方の右と左、後方の右と左をしっかりとロープで固定したら、どんな台風が来ても、マングローブがボートを守ってくれます」

2 | くんぐゎち

9月2日

155 / 365

インチキーーー!!

沖縄の子どもたちがよく使う言葉といえば「インチキーーーー!」。本土では「ずるい」という意味合いですが、沖縄では「いいなあ。羨ましい」という意味合いが含まれます。

だから、子どもたちは、保育園で沖縄方言を覚え始める頃から、誰かが可愛いものを持っていたらインチキー!誰かがいい思いをしたらインチキー!と、何かにつけてインチキを濫用。

我が家でも、子どもから「ママ、インチキ!」なんてことが続き、岡山で生まれ育った私は分かってはいても、なんだか複雑な気持ちになってしまう。そんなわけで、我が家はインチキ禁止(笑)。両親が日本本土出身、子どもが沖縄生まれの家庭には、こんな言葉の壁が発生します。

最も美しい「球美（くみ）の島」

9月3日は球美の日。琉球王朝時代、中国への貿易船の中継地点として栄えた久米島は、琉球列島の中で最も美しい「球美の島」と呼ばれました。島の総面積は、沖縄本島、西表島、石垣島、宮古島に次いで5番目に大きな島で、人口は7500人ほど。日本の渚百選に選ばれたイーフビーチや、東洋一の美しさと呼ばれるハテの浜など、絶景スポットがいっぱい。島の周囲には、1000メートル級の深い海が広がり、ザトウクジラやジンベエザメ、イルカなどが泳ぎます。

私も一度、主人の仕事の関係で3ヶ月間ほど、久米島で暮らしました。子どもが通わせてもらった保育園の先生たちが、家族のように温かく優しかったことを今でも覚えています。保育園の送迎の帰り道、車窓から見える海の美しさにも毎日感動していました。景色も人の心も美しい、それが久米島だなと思っています。

4 | くんぐゎち

古酒（クース）は沖縄の宝

９月４日は古酒の日。３年以上寝かせた泡盛を古酒と呼びます。甕（かめ）やビンに入れて貯蔵することを、「寝かせる」と表現し、寝かせれば寝かせるほど、素晴らしい古酒に育つのが泡盛の最大の魅力です。年月を重ねた古酒の香りは、バニラやチョコレート、メイプルシロップ、バラ、洋梨の香りなどと表現され、口に含んだ時に、舌触りがとても優しくまろやかです。文化人として知られている琉球最後の国王尚泰（しょうたい）の四男・尚順（しょうじゅん）男爵は、「古酒は沖縄の宝」と、古酒を深く愛し、保全に力を尽くしました。

しかし、地上戦となった沖縄戦により、大切にされて保存されてきた１００年、２００年ものの古酒は、戦火でほとんどが失われてしまいました。だからこそ、現在でも、沖縄の酒造所も一般家庭も、子孫のために、１００年古酒を夢見て、古酒を貯蔵し続けています。

琉球藍の染め体験

防虫防臭効果があり、味わい深い琉球藍は、今も、Tシャツやデニム、ワンピースなど、様々なシーンで活用されています。藍染め体験ができる工房も多くあり、小一時間で、ハンカチやストールなどの藍染め体験を楽しめます。数年前、友人の工房で私はストールを、子どもはハンカチの藍染めにチャレンジしました。板をはさんで花の模様を作ったり、布を絞って糸を巻き付けたり。出来上がりを想像しながら、しかけを創ったら、いざ、布を藍甕（あいがめ）の中へ。藍は生き物。天気や湿度、置かれている場所、環境によって発酵具合が変わります。丁寧にもみこんだあと、一度、藍甕から出し、これを繰り返すほど、濃い藍色に染まります。満足いくまで染めあがったら、水で丁寧に洗います。思い通りに染まっているかは、広げてみるまで分かりません。緊張しながら、広げてみると、ほぼほぼ思ったとおりの出来で大感激！

159 / 365

ヴィーガン料理王国

数年前から、ヴィーガン（菜食）料理のお店が続々とオープンしています。沖縄の灼熱の太陽を浴びて育った野菜が豊富に採れるのだから、おもえば沖縄はヴィーガン料理にぴったりの島。食材のどれもがカラフルでオシャレで美味しい！

私のお気に入りは、近所のオーガニックカフェのブッダボウルやアサイーボウル、モロヘイヤヌードルなどです。モロヘイヤの粉が練り込まれたヌードルの上に、新鮮なサラダやビーツ、穀物などがのっていて、ゴマだれを混ぜあわせていただきます。ケータリングでいつも助かっているのが、また別のヴィーガンレストランのオードブルセット。大豆ミートの唐揚げや、紅芋ダンゴ、もちきびのクッキーなど。見た目が赤や緑、黄色など、どれもカラフルでゲストにとても喜んで頂けます。太陽をいっぱいに浴びた野菜をいただくことで、太陽のエネルギーが身体の中に入ってくるようです。

海のヒーロー マンタ

沖縄の海を泳ぐ、世界最大のエイの仲間、マンタ。大きな胸びれは、広げると5メートル以上にもなり、大海を悠々と泳ぐ姿はまるで優雅な飛行船のようです。エイといえば海の底を泳ぎ、海の底の生き物を食べているイメージですが、マンタは表層や中層を泳ぎ回ってプランクトンを食べるのが特徴。お腹の黒い斑点模様で個体の識別を行っています。

海好きなら誰でも見たい、一度見たら「また会いたい！」と思わせる圧倒的なスケールと魅力を持つマンタは、ダイビング好きにとっては憧れの存在です。

沖縄の海には、マンタが泳ぐスポットがいくつかあり、シュノーケリングツアーでもマンタと泳げるスポットがあります。私も何度も参加して、肉眼で見たマンタのかっこよさに圧倒されました。それ以来、すっかりマンタが大好きになりました。

9月8日

161 / 365

「ゆるし」の文化

この島には「ゆるし」の文化が色濃くあるように感じます。どういうことかというと、時間に遅れるといった日常的なことから、どんなに、ひどい、悪いと批判されることをしても、最終的には、社会や会社、コミュニティは、その人をゆるす、もしくは、一緒に生きていくことを受け入れる。大都会だと簡単に転職したり引っ越ししたりできるけれども、狭い島の中ではそれができない。だからこそ、生まれた文化なのかもしれません。でも、それってとてもすごいこと。

沖縄のゆるす文化を象徴するように、沖縄のご当地ヒーローアニメ「琉神マブヤー」では、毎回、敵をやっつけたあと、ヒーローのマブヤーがキメ台詞でこう言うんです。「お前をゆるす！」って。敵をゆるすヒーローなんて、沖縄以外でいるのでしょうか？　幸せな人生で大切なことって、もしかしたら、「ゆるす」ことかもしれません。

9月9日

自転車で風をきって

沖縄を旅する時、機会があればぜひレンタサイクルに乗って、島を巡ることをオススメします。サトウキビ畑の中の一本道、石垣が続く集落の中の一本道、海沿いの一本道を自転車で風をきって進んでいくことの爽快感ったらありません。

自転車という乗り物はなんとも不思議で、乗ったら自然と、ちょっとだけその土地と仲良くなれる、暮らしているかのような気分になれます。それは子どもの頃に、近所を自転車で駆け巡っていた時の記憶と重なるのかもしれません。

離島にはあちこちでレンタサイクルがあります。特に盛んなのは、竹富島、黒島、波照間島、久高島など。沖縄の原風景が残る白砂の道や、牧場の中の一本道、海に続く一本道など、島独自の風景が楽しめます。途中でお店などがない場合もあるので、お水やタオル、地図なども忘れずに。島の文化に敬意を払いつつ、島の風を楽しんで！

塩味のお好み焼き ヒラヤーチー

「ひらたく焼く」という意味で「ヒラヤーチー」は、沖縄版の塩味のお好み焼き。小麦粉を卵と水（または出汁）でとき、ネギやニラを入れて焼きます。具材にモズクやアーサー（あおさ）、薬草を入れると、栄養バランスがUPします。冷蔵庫にあるものでできるため、ソウメンタシヤー→151/365と並んで、台風時の非常食として親しまれています。

《簡単な作り方》4枚分

1 ボウルに卵（1つ）をときほぐし、ふるいにかけた小麦粉（1カップ）を入れ混ぜる。
2 青ネギを小口切りにする。
3 **1**に塩を少々加え、水（または出汁）を1カップを、少しずつ加えて、ダマにならないように混ぜる。具材を入れる場合は、刻んだ具材を入れる。
4 フライパンに油を薄く引き、**2**の生地を薄く広がるように、流し込む。両面を焼いたら、出来上がり！

11｜くんぐゎち

9月11日

164 / 365

沖縄の神様とは何か？

「僕たちが、神様と呼ぶのは、ニライカナイ・古層→227/365からくる大いなる存在のようなもの。神様の出張所である御嶽（うたき）で、私たちが手を打つのは、今、自分が、神様に向かっていること、神様がそこにおられるということを肉体として表現するため。自分自身も、いつもいるところと違う場所だと、音で認識するためです。

『私たちはどこから来て、どこへ行くのか』。

この世界共通の問いは、沖縄の信仰心も同じ。自分の感覚として確かな手応えとして、大きな存在はある。でも、その存在を一つだけで説明できるわけはなく。日によっても人によっても場所によっても、多様でいて修錬されているから、人間が持っている言葉では語りきれない。そこで便利な言葉として、僕たちは、神様と呼んでいます」（名嘉睦稔（なかぼくねん）さんインタビュー→141,171,187,191,211,218,232,250,264/365）

作品名［みるくゆぬしるし２００３年作］

165 / 365

家の中にも台風が来る

台風の時は、家の中にも嵐が吹き荒れます。元気いっぱいの子どもたちが家の中で静かにできるかというと、そんなわけはありません。

段ボールハウスを作ったり、ぬいぐるみを総動員してぬいぐるみ会議を開いたり、兄弟喧嘩が白熱して結果的に誰かが泣き出したり。外の暴風の音に負けないくらいの、さまざまな音が鳴り響きます。親もストレスでいっぱいになるわけですが、嘆いても仕方なく…。ここで試されるのは、どんな環境でも楽しめる知恵と工夫です。

ホットプレートでヒラヤーチー（沖縄風お好み焼き）→163/365 パーティをしたり、絵の具を出してみんなで絵を描いたり、オセロやカードゲームを楽しんだり、家の中にテントを出して遊んだり。

振り返れば、きっと宝物になる時間を過ごします。

13 ｜くんぐゎち

9月13日

166 / 365

月の模様は、赤い妖精

月の模様は、世界各地で様々な形に例えられています。沖縄では、赤い妖精アカナーの姿だと言われています。伝説では、アカナーが鬼に意地悪をしたため追いかけられ、お月様に助けを求めて、月に昇った姿。アカナーは今でもお月様の手伝いをしていて、月の模様は、アカナーが水をかついでいる姿だと言われています。

月の模様の解釈

日本……餅をつくウサギ
中国……薬草を挽くウサギ
インドネシア……編み物をする女性
ベトナム……大きな木の下で休む男性
中東……ライオンが吠えている様、ライオンの尻尾
南欧……大きなハサミのカニ
北欧……本を読むおばあさん　中南米……ロバ
北アメリカ……本を読む女性　ハワイ……木

14 | くんぐゎち

宮古島にある「パリ」

宮古島でおじいが「さっきまで、パリに行ってたさ〜」と言ったら、それは畑のこと。宮古島の方言で、畑はパリと呼び、パリで働く女性はパリジェンヌなんて冗談で言うこともあるんだとか。

他にも、ミャークフツ（宮古島の方言）は、パニパニ（元気）、ズミ（素晴らしい）、アパラギ（きれい）、ンミャーチ（いらっしゃい）、タンディガータンディー（ありがとう）、ンギャマス（うるさい）など、数え上げたらキリがありません。

沖縄本島の言葉とは全く違う言語が形成されています。

可愛らしいリズムと、独特の舌の使い方がフランス語に近い響きすらしてきて、一度覚えると、何度も口ずさみたくなる、不思議な魔力を持っています。

15 | くんぐゎち

9月15日

168 / 365

第六感の育て方

沖縄には見えないものが見える、とか、見えないけれど「わかる」という人がいます。そういった霊的な力を「セジ」と呼び、霊的な力を持っている人を「サーダカー」と呼びます。少し前まで、沖縄では4軒に1軒はサーダカーがいると言われていました。現代も、昔よりは減ったとは言っても、日本本土に比べると、「見えないもの」へのセンサーは高い人が多いはず。困ったことがあると、今でもセジ高い人や神人(かみんちゅ)さんや、ユタさんのところへ相談に行く人が多くいます。

「セジ」は一見、生まれ持った特別な能力のように思えますが、私のお師匠様は、「セジは誰もが元々持っていて、育てることができる」と言います。ではどうやって「セジ」(第六感、第七感、第八感)を育てられるのか? それは「五感を磨く」ことだと教えられました。聞き慣れた言葉ですが、五感磨きが、これまた深い世界です。

169 / 365

縁起がいい米寿の手ぬぐい

沖縄の伝統行事の一つに、トーカチ（米寿）祝いがあります。数えで88歳のお祝いで、旧暦の8月8日に、親戚や友人知人、地域の人を招いて、盛大にお祝いをする行事。招待客には引き出物として、ご本人の名前と琉歌が書かれた「トーカチ手ぬぐい」が贈られます。米寿にちなんだ琉歌はたくさんあって、本人や家族で選んで、業者さんに注文をするのが一般的な流れ。トーカチ手ぬぐいをもらった人は、喜んで家で使ったり飾ったり。長寿にあやかっての縁起のいい贈り物です。

ご近所の「古民家食堂てぃーらぶい」さんは、古民家の建物が88歳の記念に、トーカチ祝いの手ぬぐいを作っていました。人ではなく建物のお祝いというのも、素敵ですよね。

17 | くんぐゎち

9月17日

170 / 365

星と生きる星文化

沖縄では「星文化」とも呼ぶべき、星とともに暮らしてきた人々の伝統や習慣が受け継がれています。石垣市立八重山博物館には、「星図」と呼ばれる18世紀の古文書が保管されています。星の解説書のようなもので、稲の苗を植える時期を決めるために、星座の位置や天候や風を記したものです。

石垣島には、星にちなんだ御嶽(うたき)や、星を観測するための「星見石」があり、こちらも農作業の時期の目安に使われていたと言われています。島では、観測の目安にしていたスバル（プレアデス星団）のことを「群か星(むりかぶし)」と呼び、「むりかぶしゆんた」という歌も残されています。

ウミンチュが航海の目印にしていた北極星「ニヌファブシ」も、沖縄を代表する歌「てぃんさぐぬ花」→222/365の中にも登場します。

171
/
365

芸術家のあがき

「『私たちはどこから来て、どこへ行くのか』

芸術家はすべからく、これを説明しようという〝あがき〟をしているようなもの。音楽も文学も絵も哲学も。感覚としてはわかっているけど、一つの所作や、作品、具体的な現象で説明できないわけですよ。一つの絵で説明できるものがなくて。こんなに描いているのに、描いたという手応えはまだ全然ない。でも、共感したり、他者に見てもらったりして、お互いに『同じだよね』と、ちょっとでも、理解し合いたい。

私たちはどこから来て、どこへ行くのか。何千枚と描いているのに、それでも、まだわかったことがなくて、わからないとしか言えない。瞬時に繋がれることはあっても、また見えなくなって。何度でも、隣にいる人ともっとわかり合いたいと思うようになります」（名嘉睦稔（なかぼくねん）さんインタビュー→141,164,187,191,211,218,232,250,264/365）

19 | くんぐゎち

9月19日

172 / 365

クマノミ 驚きの性転換！

サンゴが豊かな海に潜ると、イソギンチャクの中に、オレンジと白のシマシマが可愛らしいクマノミの姿を見かけます。ゆらゆらと揺れるイソギンチャクもふわふわとしていて、触りたくなりますが、絶対に触ってはいけません。イソギンチャクの触手は毒針があり、クマノミは刺されない性質を持っているから大丈夫なのですが、他の生き物にとってはとても危険！　だからこそ、クマノミにとって、イソギンチャクの家は最高に安全な場所なのです。

さらに、驚くのはクマノミの繁殖方法です。ひとつの群れの中で、1番大きなクマノミが雌、次に大きいのが雄。この2匹がパートナーとなって子どもを作ります。そして、雌がいなくなると、なんと！　雄が雌に性転換して、群れのトップに君臨！　3番目に大きかった個体が2番目の雄におどり出る仕組みなんです。びっくり！

9月20日

20 ｜くんぐゎち

173 / 365

いちばんぼし

日中、いろいろ頑張って、ちょっとだけ心が疲れちゃったな、そんなふうに感じる時は、少し贅沢なクラフトビールとお弁当箱を持って、夕暮れの海へ行きます。この日、海で待っていたのは、うすいブルーの空に輝くいちばんぼし。

「いちばんぼしがでた。
うちゅうの目のようだ。
ああ、うちゅうがぼくをみている。」（まど・みちお）

Tシャツのまま海へドボン。頭まで浸かり、海に浮かんでみると、見えるのは、空といちばんぼしだけ。全てを忘れて、海に浮かんでいると、今日の疲れが全部取れて、ピッカピカの自分に戻れる心地になります。地球という惑星は、本当に、本当に、美しい。夕暮れの海はいつも心も身体も、ここち良いあり方にリセットしてくれます。

21 くんぐゎち

9月21日

174 / 365

紳士淑女としての誇り

「少し気力が落ちている時、この空間に行くと良い気をもらえる」という場所をいくつか持っておくと、暮らしの支えになります。ザ・リッツ・カールトン沖縄は、そんな力をくれる場所です。

有名なザ・リッツ・カールトンのフレーズは、「We are Ladis and Gentlemen serving Ladies and Gentlemen.（紳士淑女をおもてなしする私たちもまた紳士淑女です）」。お客様が紳士淑女であると同様に、取引先もスタッフ自身も紳士淑女であり、リスペクトし合う関係であることを表しています。

洗練された空間の中で、ゆったりとしたソファーに腰をかけ、丁寧に淹れた紅茶をいただくと、ザ・リッツ・カールトンの高潔な誇りに包まれ、自分の中でも、何か一種の決意や勇気が湧いてくる。ここには、そんな空間のマジックがあります。

9月22日

22｜くんぐゎち

175
/
365

「シークヮーサー」で健康に

健康果実の代表といえば、シークヮーサー。（和名ヒラミレモン）。ビタミンC・B1、クエン酸、ノビレチンなど栄養価満点！ 我が家は、旬の時期に酵素シロップを仕込みます。

《黒糖シークヮーサー酵素シロップ》

材料：無農薬シークワーサーの実3キロ、氷砂糖1キロ
黒糖2キロ、お酢少々

1 シークヮーサーの実についているヘタを爪楊枝や針で取りのぞき、きれいに洗って、水分をふきとります。

2 **1**と氷砂糖、黒糖を、保存瓶へ層になるように何回かに分けて入れます。発酵を促すためにお酢をふりかけて完成。

毎日蓋をあけて、よくかき混ぜます。2週間〜1ヶ月ほどで飲み頃です。シークヮーサーは、料理だけでなく、昔は、果実の汁を洗濯や掃除にも使っていたそうです。ふきんに数滴垂らすと、爽やかな香りが広がります。

23｜くんぐゎち

9月23日

176 / 365

亀に助けられた祖先の話 1

「僕の祖先は、亀に助けられたことがあるんだよ。だから、亀にはとても縁を感じるんだ」と話すのは、竹富島出身の亀井保信（かめいやすのぶ）さんです。

亀井さんの祖父の祖父、崎山用芳さんは、琉球王朝時代の役人でした。竹富島に赴任にきて、竹富島の女性と結ばれて子どもが産まれ、その子孫が亀井さんです。

「僕の高祖父がある時、離島で、ウミガメが漁師に捕まって逃げないように、ひっくり返されている場面に出会ったそうなんです。よく見たらウミガメは、ポロポロと涙を流していたそうで、かわいそうに思い、漁師から買い取って、逃してあげた。そうしたら、ウミガメは沖の方に泳いでいきながら、何度も振り返りながら、遠ざかっていったそうです」。

24｜くんぐゎち

177 / 365

亀に助けられた祖先の話 2

「後日のこと、高祖父が西表島の古見に出張に行った時に事件は起こった。小浜島と西表島の間に、ヨナラ水道という深い海峡があって、ここで嵐に会って、船が転覆してしまったんだ。あの頃の船は木をくり抜いた小さなくり船だから、簡単に転覆してしまう。嵐の中で、高祖父がブンダイ（あの頃はカバンなんてなくて、木の箱に荷物を入れていて、それを竹富島ではブンダイと呼ぶ）につかまってなんとか浮かんでいた。命が危ない、そう思っていた時、ウミガメが数匹やってきて、甲羅でフワァ〜ッと持ち上げてくれたそうだ。そして、石垣島の屋良部半島の方（写真のあたり）まで連れていってくれたんだ！

そこから、海岸線をずーっと歩いて、竹富島まで3日かけて帰った。島では亡くなったと思われていたから、お葬式の用意をしていた。天ぷらや餅を作っていたら、本人が帰ってきたもんだから大騒ぎ！」

25 くんぐゎち

9月25日

178 / 365

亀に助けられた祖先の話 3

「高祖父が、みんなにウミガメに助けられた話をしたら、『お祝いだー！』となって、西の海岸へごちそうを持っていって、海に向かって手を合わせたそうだ。だから、僕たち子孫は、じいさんたちから、きつく『絶対にウミガメを食べるなよ』と言われて育ったんだよ。

僕らはどうも亀に縁があるようで、僕の名前も続きがあってね。庶民が姓を名のることを許されたのは、1870年代くらいのこと。高祖父のことがあったから、その時、先祖は迷わず『亀』を名乗ることにした。

それからまた100年後の沖縄で、今度は日本風の姓に改名する人が増えた。だから、僕の名前は小学校2年生まで、亀保信だったんだけど、我が家も日本風の名前に改名をして、僕の姓は亀井になったというわけ」（竹富島、亀井保信さんインタビュー

→176,177/365）

26｜くんぐゎち

9月26日

179 / 365

わからなくていい

「どうしてこうなの?」と不思議に思い、沖縄の人に聞いた時、「なんでかね〜」「そう決まっているわけさ〜」「それを知ってどうするの?」「なんでも良くない?」と返ってくることがよくあります。

これを不思議に思っていたところ、友人が「決めつけない、追い込まない、かもしれないは、沖縄の優しさ」と言ったのを聞いて、なるほど！と納得しました。

また、体感として感じていることを言語化することが非常に難しく、言葉にすると陳腐になったり、何かが違うようになってしまったりすることもあります。そんな時は、言葉にはできない、したくないだけで、本当はその人はわかっている、そんな時もあるようです。

海から豚がやってきた

地形が変わるほどの鉄の暴風を浴びた沖縄戦で、人も動物も食糧もあらゆるものが焼き尽くされました。戦後、深刻な食糧危機にあった沖縄を救ったのは、海外へ移住した沖縄県系人（ウチナーンチュ）でした。「鳴き声以外は全て食べる」と言われる豚文化の沖縄で、豚も姿を消していました。ハワイの県系人たちは「故郷へ生きた豚を送ろう！」と、ハワイ全島で寄付金を集めて、５５０頭の豚を購入。輸送には、県系人の勇士７名が選ばれ、旧日本軍が海中に設置した機雷をよけながら、嵐にあいながら太平洋を横断。１９４８年９月27日、うるま市のビーチに上陸しました。

豚は各市町村に分配され、しっかりとした計画のもと、わずか数年で10万頭に。食糧事情も養豚も劇的に改善され、多くの命が救われました。上陸した日は、感謝を込めて「海から豚がやってきた記念日」に制定されています。

28 | くんぐゎち

181 / 365

愛しの藍の花

友人の染織家 宮良千加（みやらちか）さんは、琉球の大地に育つ藍で糸を染め織物をしています。藍染めの楽しさは、「藍の性質上、空気に触れた瞬間に色が変わること」だと話します。藍を発酵させている甕（かめ）の中に、手織りするための糸を浸して、引き上げると、気温や湿度、織物によって、染まる藍の表情が全然違う。引き上げた瞬間に、その時の藍の色が出てくる、その瞬間がたまらなくワクワクするのだそうです。

ものづくりで大切にしていることは「ここに『想（うむ）い』があるのか？」ということ。千加さんが師匠から教わった言葉です。「豊かな文化がある沖縄ですが、織物も陶芸も民謡も、どれもが過酷な暮らしの中から搾り出されて生まれたメロディであり、技術であり、作品です。どんなに追い込まれても、沖縄には生きる力、豊かに生きる知恵がある。想いがある。そこに沖縄の心があるような気がしています」

29 くんぐゎち

9月29日

182/365

沖縄のウユニ塩湖

ボリビアのウユニ塩湖といえば、水面が鏡のように反射して、空や雲の様子が映し出される絶景が世界的に有名。ですが、実は沖縄も、遠浅の海が多いため、晴れている、風がない、波のうねりがない、光などの気象条件が整えば、ウユニ塩湖のような景色を拝むことができます。

ある日、西海岸のショッピングセンターで食事中、窓の外のカーミージー（亀瀬）の干潟に、写真のような光景が広がっていてびっくりしました。

また、この気象条件がアコークロー→192/365時間に揃うと神秘的！東海岸では朝陽の時間帯、西海岸では夕日の時間帯、空と雲が真っ赤に染まる時、海もまた真っ赤に染まります。

暮らしの中に、サプライズプレゼントが隠れています。

30 くんぐゎち

183 / 365

台風の夜こそ癒される

大きな被害を及ぼす台風は怖い存在ですが、一つだけ優しいところがあります。それは「行くよ」と予告してくれること。他の災害と比べ、対策ができるのがありがたい。いざ台風が来たら、大自然の猛威を前に、非力な人間である私たちは、ただ嵐が過ぎ去るのを待ち続けます。その「一切の抵抗をやめて待つ」という時間がまた、意外にも良いもので、不思議なくらいに心が落ち着き、安らいでいきます。

雨風がしのげる家の中に居られる感謝、家族が無事に今夜も眠れることができる感謝、食べ物があることへの感謝、普段は当たり前に過ごしてしまう一つ一つのことに感謝があふれます。

停電になったら、キャンドルの灯りで絵本を読んだりトランプしたり。窓をたたきつける暴風雨の音を聴きながら、家の中は静まり返り、心の内側では深い癒しが起こります。

10月1日

184 / 365

ついていっちゃダメ！

本土の人が沖縄の方言で戸惑う言葉のひとつが「○○しましょうね〜」。

これは沖縄では「一緒に○○しましょう」というお誘いではなく、「私は○○します」の宣言文。だから、「お先に帰りましょうね〜」「お風呂に入りましょうね〜」「ランチに行きましょうね〜」はそれぞれ、「私は帰ります」「お風呂に入ります」「ランチに行ってきます」という意味。決してついていってはいけません。逆に、「私、行きますね」といわれると、なんだか冷たくて怖い印象を受けるのだそうです。

沖縄の言葉は優しい言い回しが多く、これも相手を想う沖縄の人の優しさが背景にあるのかもしれません。地域の言葉のニュアンスって、本当に面白い！

185 / 365

野山のデザート、クワの実

子どもが口のまわりを真っ赤にして、夢中で食べてしまう野山のご馳走が、クワの実。

我が家のお庭にも、近所の公園にも、あちこちになっていて、「あそこのクワの実はすごく甘い、あそこのはさっぱりした味」など、子どもたちは、それぞれのクワの実のおいしさを身体で覚えています。

クワの英名はマルベリー。100種以上の種類があり、その総称をクワ属と呼びます。便秘や高血圧予防などの効果が期待でき、実は果実としてジュースやジャムに、葉っぱはお茶などに使います。

沖縄で栽培されているクワは、島桑（シマグワ）と呼ばれます。織物が盛んだった沖縄では、蚕が食べるためのクワの木を屋敷内に植えていた地域もあったそう。子どもの頃、「クワの葉を切って、蚕に食べさせるのが仕事だった」というお年寄りもいると聞きました。家の敷地内で、養蚕、糸繰り、機織りまでしていたなんて、本当にスゴイ！と憧れます。

欠けているから美しい

夜空を見上げ、少し欠けているお月様が浮かんでいる時は、沖縄民謡「月ぬ美しゃ」を聴きたくなります。沖縄の唄者の多くがこの名曲をカバーしており、「月が美しいのは、十日三日（満月の二日前）」という意味の、のびやかな歌声と三線の音色が心に沁み入るのです。また、「月ぬ美しゃ」にちなんで、八重山出身のシンガーソングライター池田卓さん→13/365の歌「十三夜」も、「少し欠けているからこそ、月も僕たちも美しい」と、未完成な私たちを励ましてくれます。日ごろ、理想の自分や憧れの誰かと比べてしまって、今の自分の未熟さに落ち込む時がありますが、月ぬ美しゃは十三夜。満月に向かって懸命に生きる、その姿こそが、愛しく、美しい。だから、大丈夫。満月ではなく、あえて十三夜が美しいというところに、沖縄という土地が持つ、人間に対する「温かなまなざし」を感じます。

4 ｜じゅーぐゎち

187 / 365

人間は風土に規定されている

「僕は昔から、人間を生き物の視点から見てみようというクセがあって。早いうちから、人間がいかにわがままで傲慢な存在かに気づいていました。でも自分自身が、その傲慢な当事者なわけです。人間は風土に規定されている。それは生き物みんながそうなんです。バッタやチョウや植物たちが、その風土の中に適応しようとしたり、新たに参入したり。その土地に暮らしていく上で、身体も精神性もそこに生きることを是としなければならない。零下40度と沖縄では、暮らし方が全く違う。例えば、沖縄の扶助（助け合い）制度が発達しているのは、それだけ貧しかったから。ただ、暖かいからすぐに死なないため、人を助ける余裕はあった。それらも含めて、人間は風土に規定されて生きている」（名嘉睦稔(なかぼくねん)さんインタビュー→141,164,171,191,211,218,232,250,264/365）作品名［うららかな一日 1994年作］

塩天国

沖縄は世界でも類をみない塩の名産地。小さな島国に、数多くの工房・会社があり、美しい海を原料に、ミネラルバランスがとても高い天然塩が作られています。

代表的な塩の銘柄：石垣の塩（石垣島）、雪塩（宮古島）、粟國の塩（粟国島）、浜比嘉塩（浜比嘉島）、ぬちまーす（宮城島）、球美の塩（久米島）、湧出（わじ）の塩（伊江島）、屋我地島の塩（屋我地島）、蔵盛さんちの塩（与那国島）など。

同じ自然塩とは言っても、煮詰めたり、天日（太陽）で干したり、製法も作り手も違うから、味わいや食感も個性豊か。おにぎり、魚、肉、野菜、パスタなど、料理に合わせて塩を変えるのも楽しい。食べる塩に加えて、バスソルトや、歯磨き粉などの日用品も、沖縄の塩メーカーさんのものを愛用しています。お気に入りの塩があれば、料理時間も、毎日もさらに楽しくおいしくなります。

俵万智さんが歌った沖縄

「オレが今マリオなんだよ 島に来て 子はゲーム機に触れなくなりぬ」

歌人の俵万智さんは、2012年の東日本大震災の後、石垣島に移住し、5年間、島で子育てをしながら暮らしました。『俺がマリオ』（文藝春秋刊）には、島暮らしで感じた驚きや感動が、みずみずしくユーモアあふれる感性で綴られています。

「旅人の 目のあるうちに見ておかん 朝ごと変わる海の青あお」

「買ってきたものなき 今日の夕飯に ミジュン唐揚げ パパイアサラダ」

「今のおまえを とっておきたい 海からの風を 卵のように丸めて」

沖縄暮らしの感動がたくさん詰まった、暮らしの宝箱のような歌集です。

空間こそがギフト

那覇市内で仕事のミーティングをしようとしたとき、よく待ち合わせをするのが、シティリゾートホテルのザ・ナハテラスです。滝が流れる音が心地いいラウンジ、光が降り注ぐ真っ白なテーブルに印象的な青いグラスが並ぶレストラン。タワーマンションが隣立する那覇市内にあって、南国ならではのゆるやかで華やかなリゾート感と、格式の高いビジネスシーンとを併せ持ち、場面や人を選ばず、大切な人との時間を過ごすことができます。

どんな集まりでも、その時間がいいものになるかそうでなくなるかは、会場を選ぶときから始まっていて、準備をする空間こそがギフト。素晴らしい空間を整えてくれているホテルのホスピタリティと、その場を選び、集まるメンバーの気持ちとが重なり合えば合うほど、商談や関係性が深まって、より良き方向へ導かれます。

191/365

多様な魚がいる理由

「沖縄のイノー（サンゴ礁に囲まれた海）には、畳半畳分程の中に、100種くらいの生き物が住んでいます。なぜ、これだけ色彩が豊富なのか。南の海、珊瑚礁の海は海の栄養分としては痩せています。その分、透明度が高くて美しいという面もありますが、基本的には栄養が乏しいんです。極北をはじめ、北の海はプランクトンが豊富にあるから、あんなに大きなクジラが生きられる。栄養の乏しい沖縄の海は、サンゴ共生が発達しました。サンゴが光合成により、生み出す力も活用します。多様な魚が住めて、その中で住み分けをして生かされている。それぞれに生きる場所があり、栄養の貧しい海の中でも、食物を分け合い、あんなにも命を謳歌して生きている。海の中の生き物たちも、風土に規定されて、この風土の中で生かされています」（名嘉睦稔（なかぼくねん）さんインタビュー→141,164,171,187,211,218,232,250,264/365）作品名「珊瑚花畑二十一「離礁」1991年作」

9 | じゅーぐゎち

10月9日

192 / 365

黄昏時は「アコークロー」

太陽が水平線に近づき、空がピンク色に近づいていく時間帯を沖縄の言葉で「アコークロー」と呼びます。紅い黒いで、アコークロー。日本語では黄昏時、かたわれ時、映画業界で呼ぶマジックアワーと同じ意味。魔物（マジムン）がうろつく時間、あの世とつながる時間などとも言われます。

海や空の色が刻々と表情を変えていく様はとても神秘的。私はこの時間が大好きで、経営する絵本専門の出版社の名前を「絵本スタジオアコークロー」としました。夕暮れ時の空のように、誰かの心をそっと癒す絵本を届けたいという意味を込めました。我が社だけでなく、沖縄にはアコークローという名前のカフェや宿、セレクトショップもあります。また、誰に見せるでもなく、毎日のように空や海の写真を撮っています。

「アコークロー」時間は、沖縄暮らしの中でも特に大切な、聖なる時間です。

193 / 365

尊敬！ おばぁとおじぃの掃除力！

旧盆や旧正月の拝みなど、地域の大切な行事の前には、集落の清掃行事があります。各世帯一人ずつ、掃除道具を持って、御嶽(うたき)やビーチなど、指定された場所に集まり、2時間ほどの掃除を行います。浜比嘉別邸→364/365のある集落はご高齢の方が多く、平均年齢70～80歳ほどのおばあちゃん、おじいちゃんが、クマデや草刈機を持って、一斉に掃除をスタート。その手際の良さったらありません。若者がへばっても、先輩方は休むことなく掃除を続け、あっという間にきれいになります。

掃除の後は、岩に腰をかけて、差し入れのお弁当や、揚げたてのサーターアンダギー、モズク天ぷらを食べながら、ユンタク（おしゃべり）。きれいになった御嶽の拝所の前で、踊りを神様に奉納することも。地区の清掃は、土地と、植物や樹木と、住民と神様と交流する大切な時間です。

民藝とアート

１９３８年、日本民藝館の初代館長である柳宗悦氏は、沖縄を初めて訪れ、琉球王国の文化の豊かさに魅了され、以後、何度も沖縄に足を運びました。当時、明治政府の行った琉球処分の影響により、琉球王国の文化は低く評価されていましたが、柳宗悦氏の来島と、日本全体に巻き起こった民藝運動の中で、「沖縄は美の宝庫」だと称されるようになりました。民藝とアートの関係について、北窯（きたがま）→43/365の松田共司（まつだきょうし）さんは、こんな考察を聞かせてくれました。「民藝は毎日ずっと使っていても飽きないもの。ドレミファソラシド、永遠に変わらない基礎のようなもの。アートは音楽のサビのような、五線に表現できないもの。その人しか表現できない持ち味、魅力、存在意義。僕は、沖縄人として、自分たちの文化を大事にしたい。そして、最後は人格が器になる。この人が作ったから、買いたいと思ってもらえる作品を作りたい」

10月12日

12 じゅーぐゎち

195 / 365

秋の合図「新北風（みーにし）」

10月のある日の朝、窓を開けると、昨日までの暑さが嘘のように、涼しい風が入ってくる瞬間があります。真夏に吹く南からの暖かい風ではなく、北から吹いてくる、冷気を含んだ涼しい風、新北風の到来です。新北風はいつも突然で、まだまだ残暑だなあ、秋はまだ先と思っている頃に、不意をつくように「あ、新北風がきた！」とわかるのです。沖縄には常緑樹が多いため、日本の紅葉のように視覚として「秋がきた」とは分かりにくいのですが、風を通して、「あぁ、夏が終わって、秋が来たんだな」と感じます。

私はそんな風を通して、季節の移ろいを感じられる、この島の自然が大好きです。この頃から、家やお店、職場でもクーラーを切って、窓を開けることが多くなり、屋内にいても、風の音、鳥の声が聴こえるさわやかな時期が続きます。

長寿のお祝い、カジマヤー

本土では、99歳を白寿、１００歳を百寿・紀寿とお祝いするように、沖縄では、旧暦9月7日に、数え年の97歳をお祝いする「カジマヤー」(風車祭)があります。

沖縄ではこの年になったら子どもに還ると言われており、主人公のおじいちゃん、おばあちゃんは、赤いちゃんちゃんこを着て、子どもが遊ぶ風車を持って、オープンカー（トラックのことも）に乗って、道ジュネー（集落中を練り歩くこと）するのが習わしです。お祝いのドラが鳴ったり、棒術があったり、三線（さんしん）が演奏されたりする中で、お祝いに駆けつけてくれた人に1本1本、風車を手渡していきます。握手を頼まれながら、拍手を浴びるおじぃ、おばぁたちはスターのような存在。沖縄中がお祝いに包まれるカジマヤーの一日。お祝いに行った時にもらった風車は家に飾って楽しみます。

10月14日

14 | じゅーぐゎち

197 / 365

答えはすべて目の前に

黄金言葉

見る事（くとぅ）ぬあてぃん
聞（ち）く事（くとぅ）ぬあてぃん
善（ゆ）たさあるむぬや
我身（わみ）ぬ鏡（かがみ）

（詠み人知らず）

意訳

「見るもの聞くもの全てが、自分の鏡であり、学びであり、糧となります」

自然の風景ひとつとっても、学ぼうと思って見れば、無数のメッセージが伝わってきます。意識して耳を澄ませば、自然のメロディーが聞こえてきます。私の神人（かみんちゅ）のお師匠様もよくおっしゃいます。いつもどんな時も、「答えはすべて目の前にある」。

15｜じゅーぐゎち

10月15日

198/365

それぞれの首里城

琉球王国の象徴である首里城。我が家は、長女が小さい頃、首里城の近くに住んでいました。妊娠中のお散歩もいつも首里城周辺。那覇市街を一望できる西のアザナ（見張りの門）から下の御庭（うなー）（ひろば）を通り、瑞泉門、歓会門など、曲線美の美しい石垣を眺めながらの散歩は、何百年の時を超え、悠久なる時間の旅をしているよう。政治は男たちが、祈りは女たちが担い、貿易の王国としての繁栄を極めた琉球王国。歴史に思いを馳せながら、お腹の中の小さな命とともに、大いなるものに包まれる中で散歩をしている最中、陣痛がやってきたのでした。

世界遺産・首里城は、沖縄観光のシンボルと言われてきましたが、それ以上です。みんなの心の支えでした。それぞれに首里城に思い出があり、首里城があるというだけで、守られている、安心できるような大きな存在なのです。そこへ首里城火災が起こりました。→214/365

16｜じゅーぐゎち

199
/
365

ハンデが特技に変わる

「離島や僻地と呼ばれる場所は不便なことが多いと思われます。でも、そのハンデは、強みに変わるんです。例えば、子どもの頃、バスケットの大会に行った時のこと。体育館のない僕たちはバスケットシューズを持っていなかったので、外履きのシューズの裏を洗って体育館に入ったら、他の学校の子どもたちから笑われました。でもね、試合になると僕たちが圧勝！　いつも芝生の上で、中学生用のゴールポストで、大人相手に練習をしている僕たちが強くないわけがない。野球だって、練習相手がいないから、一人で毎日200球の壁あてをしていました。ツルツルのボールが握力強化に、ボロボロのスニーカーが足腰の強さに、投げ込んだ球数が肩の強さに変わり、結果、甲子園常連校の名門、沖縄水産高校野球部に入部できました。ハンデは長所に変わる。ハンデを強みに変えられるかどうかは自分次第です」。（池田卓さんインタビュー→13/365）

17 じゅーぐゎち

10月17日

200 / 365

沖縄そばを食べたい

沖縄にいるときは、そこまで意識していないのだけれど、県外に出かけて沖縄に帰ってきた時、すぐに食べたくなるのが沖縄そばです。沖縄そばの麺は小麦、お出汁はかつおぶし、昆布、具材は三枚肉や軟骨ソーキなどが一般的です。ゆし豆腐が麺の上にのっていたり、麺にフーチバー（ヨモギ）が練り込まれていたり。沖縄そばの味にこだわりを持つ県民は多く、お気に入りの沖縄そば屋さんを誰もが数軒持っています。雰囲気も器も盛り付けも上品なお店もあれば、ビートルズがＢＧＭで流れるロックなお店、絶景のおそば屋さん、食堂的なおそば屋さんなど、スタイルも様々。

食品スーパーには、沖縄そばの麺とスープも売っているので、晩ご飯のおつゆや、定食についてくるお汁が、沖縄そばだったりすることもあり、いつもそばにいる存在。沖縄そばが、沖縄のソウルフードと言われる所以です。

10月18日

18 じゅーぐゎち

201 / 365

湧き水を巡る旅

沖縄では各地で「カー（井戸）」や「ヒージャー（樋川）」という看板をあちこちで見かけます。水が湧き出ているところがカー。水が流れ出て溜まっているところがヒージャー。昔は洗濯や料理に使っていた場所で、今もお正月の若水とりや産湯に使われるなど、住民の「よりどころ」として大切に保存されています。

沖縄で最も有名なのが、首里城内にある龍樋（りゅうひ）。龍の口から水が流れ落ちる神聖な湧き水で、国王の儀式に使われていたそうです。南城市にある垣花（かきのはな）樋川（ひーじゃー）は、全国名水百選に選ばれた心地いい場所です。伊計島の崖の下にある犬名河（いんながー）は、「伊計島に住むあの人と結婚したいけど、あの犬名河に水汲みに行くのは嫌だから結婚はやめようかな」なんて意味の琉歌（琉球の歌）が残されています。各カー・ヒージャーに物語あり。湧き水を訪ねると、いつも新しい発見があります。

19 ｜じゅーぐゎち

10月19日

202 / 365

離島便は遊覧飛行

　沖縄本島から飛行機で、宮古島や石垣島、久米島などの離島へ行くとき、何度飛んでも、その度に沖縄の海の美しさに圧倒されます。

　離島便のフライトは、もはや移動ではなく、遊覧飛行。島の地形や海岸線の造形美、海の色のグラデーションに見入ったり、太陽の角度によって刻一刻と変化する光の表情に何度もカメラのシャッターを切ったり。離島便は寝る暇なんて全くなくて、いつもこの世界の美しさに感動します。

　時々、隣り合わせた人が到着地の島の方の場合もあります。そんな時は、島のお話を聞いている間に仲良くなって、遊びに行くなんてこともしばしば。島の人との出会いも離島便だからこその楽しみです。

10月20日

20 | じゅーぐゎち

203 / 365

過去の涙が癒えますように

おばぁは、みんな優しくて、可愛くて、悟っていて…というステレオタイプな印象があったけど、おじぃおばぁの性格も千差万別。怒鳴ったり、挨拶をしない、酒乱だったり、盗んだり、暴れたり、意地悪どころの話ではないヤンチャな人もいます。一見、まわりの人はとても困るのだけれど、沖縄で生まれ育った友人は、こういったおじぃおばぁへの扱いがとてつもなく上手で愛情深い。彼女は、「おじぃおばぁがなぜそうなったのか？ を想像してほしい」と言います。寂しかったのかな？ お義母さんに厳しくされて辛かったのかな？ 戦争をどう生き延びたのかな？「この人たちが悪いんじゃなくて、このおじぃおばぁの環境が、彼らをそうさせてしまったんだよ」。おじぃおばぁたちの哀しみ、苦しみが癒えますようにと、見える方法、見えない方法でお祈りしています。

21 | じゅーぐゎち

10月21日

204 / 365

希望をくれた「波照間ブルー」

若い頃、初めて、有人島として日本最南端の島・波照間島に渡り、「波照間ブルー」と呼ばれる海を見て、あまりの美しさに、おおげさではなく、心から「生きててよかった」と思いました。

20代前半は、生きる意味みたいなものを模索していた時期。波照間島の海を見たときに、「こんなにも世界が美しいのなら、もうちょっと生きていてもいいかもしれない」と感じたのです。

うまく説明できないのですが、（沖縄には説明できないものが多い！）沖縄の大自然には「生きる希望」みたいなものを与える力があるんじゃないかと感じます。

「果ての島」で波照間島。石垣島から高速船で60分。レンタサイクルで、波照間ブルーを見ながら、雄大な島を一周するのもオススメです。ゴールはもちろん日本最南端之碑。

22 じゅーぐゎち

海の中を走る道路

沖縄本島中部に位置する海中道路は、那覇市や沖縄市からも程近く、県民の憩いのスポットとなっている絶景の橋。沖縄本島から、4つの島々（平安座島、浜比嘉島、宮城島、伊計島）に向かう4・75キロの海中道路は、両側に真っ青な海が広がり、潮風を浴びながらのドライブが楽しめます。

海中道路が完成するまで、長い道のりがありました。島の人が本島に行くには、満潮時は船で、干潮時は歩くか、海上トラックに乗るか。時には犠牲者が出るほどの苦労がありました。1961年、島民たちの手で、石を一つずつ積み上げて800メートルまで橋を作りましたが、台風で波に流されて断念。1971年、平安座島は、アメリカの大手石油会社ガルフ社と石油基地建設の調停を結び、ガルフ社の出資によって海中道路が完成しました。橋の中ほどにある「海の駅」には文化資料館があります。

23 じゅーぐゎち

10月23日

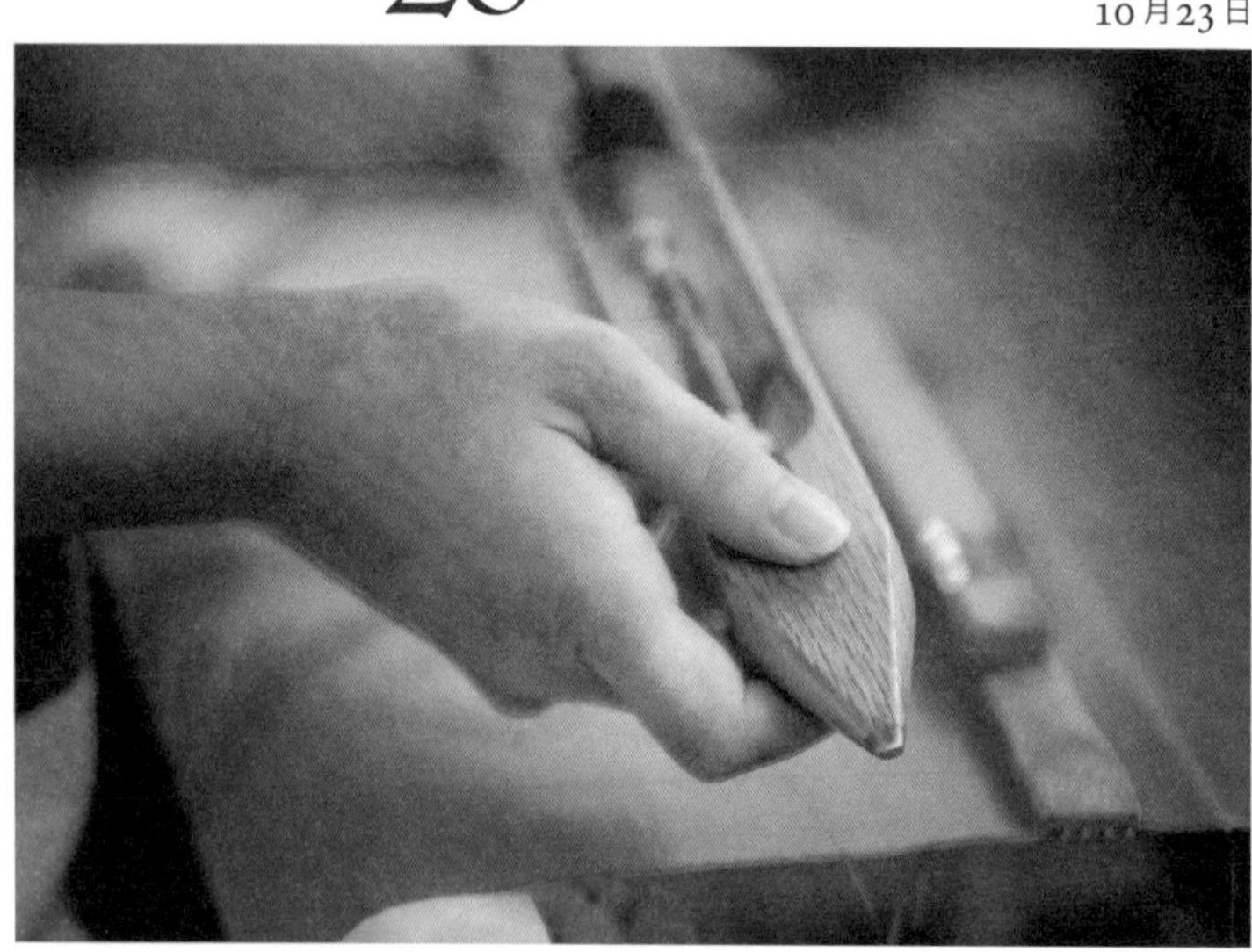

206 / 365

ご近所さんのお仕事

家の近所には、歩いて行ける距離に、大工さん、船頭さん、畑人（農家）さん、海人（漁師）さん、やちむん（焼き物）屋さん、ダイバー（スキューバダイビングのガイド）さん、神人（ご神事を司る人）さんなど、沖縄らしいお仕事の方が数知れず。友人の中には、シーサー職人さん、塩屋さん、染織作家さんなど、これまた、職人さん、作家さんが身近にいらっしゃいます。

何か仕事を頼もうと思ったときは、知り合いに頼むことが多く、作り手の顔が分かるからこそ、作ってもらったものを大切に、修理しながら使い続ける習慣が自然と残っています。

浜比嘉別邸用→364/365にシーサーを購入する際も、地元・読谷のシーサー作家さんから作品を選びました。工房で受け取る際、どんな場所で、どんな想いで作っているのかを見て聞いて受け取ったシーサー→3/365は大切な守り神です。

10月24日

24 じゅーぐゎち

207 / 365

秋の星座、カシオペヤ

気温が涼しくなり、お月見も星空観察も楽しみやすくなる季節。泡盛片手に、星を眺めるのは至福の時間です。秋になると、春から夏にかけて夜空で目立っていた北斗七星は地平線に沈み、今度は、北の空に浮かぶWの形の星座「カシオペヤ座」が、比較的見つけやすくなります。

カシオペヤ座は、日本では「いかり星」、他の国では「城の鍵」や「らくだのこぶ」とも呼ばれています。ギリシャ神話では、アンドロメダ姫の母として登場するのですが、役柄としてはかなり困った王妃様です。

また、北斗七星と並んで、北極星を見つけるための目印としても使われます。Wの文字の真ん中の星から伸びた先に北極星があります。

秋の沖縄はアウトドアシーズン。テントの中から、星空を眺めて寝るのも最高の思い出になります。

沖縄の女性はすごい！

「僕はね、青年会や地域の取り組みなどで、イベントやプロジェクトをするとき、必ず女性に入ってもらいます」と話すのは、沖縄県うるま市勝連南風原（かつれんはえばる）の元自治会区長具志堅永信さん。男性だけで行うのと、そこに女性が入るのとでは、プロジェクトの活発度合いが全く変わってくるそうです。

「例えば、サトウキビを刈る時だって、男だけでやるより、女性に、ちょっとソウミンタシヤー→151/365でもお昼に出してって頼むと、男たちの士気が一気に上がって、作業が速くなるんですよ。面白いくらいに違う。女性は、いざこれをみんなでやろうって決まったら、そこからの動きが速い。パパパッとやることを決めて、どんどん進めていく力が女性にはあります。男は外では威張っているけど、家の中で強いのはやっぱり女性。男はいつまでたっても、女性には頭が上がらないですね」

26 じゅーぐゎち

209 / 365

映画で楽しむ沖縄

沖縄を舞台にしたオススメ映画のご紹介。他にも名作がたくさんあるので、ぜひお気に入りを見つけてください。

・「旅立ちの島唄～十五の春～」（南大東島を舞台に、島唄を歌う少女の旅立ちの物語）
・「深呼吸の必要」（サトウキビ畑でのアルバイトを機に成長する若者たちの青春物語）
・「ニライカナイからの手紙」（竹富島と東京を舞台に手紙を通して成長していく少女の物語）
・「てぃだかんかん」（世界で初めてサンゴの移植産卵に成功した金城浩二氏の実話を基にした感動作）
・「老人と海　ディレクターズ・カット版」（１９８０年代、与那国島に生きた伝説の老漁師のドキュメンタリー）
・「洗骨」（風葬後に遺骨を洗い清め、あらためて納骨をする沖縄の風習を描いた作品）

27 | じゅーぐゎち

10月27日

210 / 365

やさしさに包まれたなら

毎日、一生懸命生きていて、良かれと思って何かをしても、うまくいかないこともたくさんあります。未熟な自分に落ち込むような日こそ、夕暮れ時には空を見上げます。写真の日は空全体にうっすらと雲がかかり、世界がピンク色に染まりました。

空を見上げ、荒井由美さんの名曲「やさしさに包まれたなら」を歌いながら、ビールを一杯のんで、ぼーっとしていると、いつの間にか、「まあ、いっか」「しょうがない」「ゆっくりいこう」と、心がほどけていくから不思議です。

落ち込んでいる時って、うまくいかなかったことばかり考えがちですが、空を見上げると、たくさんのギフトに気付かされます。

感謝にあふれた夕暮れを過ごすと、おだやかな気持ちで眠れます。世界は私たちが思っているより、その何倍も優しくて、美しい。

28 じゅーぐゎち

間合いをよむ力

「沖縄の人は優しいとか、懐が深いように思われます。でも、実はそこには絶妙な『間合い』が存在します。人と人の関係性の中に、間合いは伸び縮みします。夫婦、同級生、知らない人、旅人、それぞれに違います。同じ人でも、恋人になった時はひっつきたくてたまらなくなるし、その逆の状態になることもある。地域や、共同体によっても間合いは全然違う。間合いを考えないで奥へ入りすぎてしまうと、拒絶されたり、トラブルが起こったり。この繊細な部分がとても大切です。そこに住んでいると、この間合いは掴めてくる。離島や僻地と呼ばれる場所では、共同体に独自の間合いがあり、防衛する能力と、相手を迎える能力が拮抗しています。間合いをよむ力、これはとても大切です」（名嘉睦稔（なかぼくねん）さんインタビュー→141,164,171,187,191,218,232,250,264/365）

作品名［珊瑚花畑三十九「守垣」1991年作］

29｜じゅーぐゎち

10月29日

212 / 365

ハロウィンでお化け屋敷

ハロウィンが近づいてくると、「今年はどんな仮装をする？」とみんなソワソワ。米軍関係者をはじめ、アメリカ人が多く住む沖縄では、ハロウィンのイベントはとても賑やか。家々にイルミネーションが飾られたり、学校やお店でイベントがあったり。子どもたちは好きなキャラクターに仮装して「お菓子をくれないとイタズラしちゃうぞ！」と言ってパレードを楽しみます。我が家の子どもたちが通う小学校では、授業の一環でハロウィンプロジェクトがありました。今年の4年生のテーマはお化け屋敷作り。チームを組んで、お化け屋敷の歴史を調べ（社会）、設計図を描き（図工）、材料費の計算（算数）をして作り上げ、31日の当日は、下級生に遊ばせてあげるという取り組み。後日、良かった点や改善点などを振り返る発表会もあって本格的でした。

子どもたちは年を重ねるごとに、仮装も遊びも進化成長していきます。

213 / 365

世界のウチナーンチュの日

明治から昭和にかけて、沖縄から新天地を求めて、多くの沖縄県系人（ウチナーンチュ）がハワイ、アルゼンチン、ブラジル、ボリビアなどへ移民しました。異国の地で、厳しい労働や差別、言語の壁を乗り越え、生活の基盤を築いたウチナーンチュ。今や、海外で暮らす県系人は約42万人に及ぶと言われています。それぞれの国で、三線や空手、料理など、沖縄の文化や精神を大切にしている人も多くいます。

1990年、世界各国に住むウチナーンチュが沖縄県に集まる「世界のウチナーンチュ大会」が開催されました。今も5年に1度のペースで開かれています。パレードでは、世界中から帰ってきた人たちに「おかえりなさい！」と歓声が上がり、沖縄に住む親戚や友人たちとの再会の模様は、涙なしでは見られません。10月30日は世界のウチナーンチュの日。沖縄の肝心（チムグクル＝心）に感動する一日です。

見せる復興

２０１９年10月31日、「首里城が燃えている」というニュースを、テレビ映像で見たとき、声も出ず、ただただ涙がこぼれました。誰もがあまりのショックで、声を震わせて泣いていました。「首里城があることが当たり前すぎて、燃えるだなんて信じられない」「見上げれば、いつも首里城があったのに」。ショックは言葉にならないものでした。焼け崩れたガレキの中で、奇跡的に大龍柱だけが焼け残り、その姿にもまた、皆で何度も涙しました。

今、首里城は「見せる復興」をテーマに、訪れる人に工事の様子を公開しながら復元工事を進めています。首里城が燃えたのは初めてじゃない。第二次世界大戦で、日本軍司令部が置かれていた首里城は、米軍から猛攻撃にあい全壊しました。「何度壊れても、次はもっと王朝時代に近い首里城を作ってみせる」。専門家と職人、県民力を合わせての、首里城復興物語が始まっています。

1 | しむちち

黒船ペリーも飲んだ泡盛

11月1日は泡盛の日。沖縄のお酒の代表格で、沖縄では愛称で「シマー」と呼びます。居酒屋やお家で「何飲む？」と聞かれたら、「じゃあ、シマー」と答え、シマーには銘柄がたくさんあるので、「どこのにする？」「今日は残波（読谷村）で」、とか「瑞泉（首里）で」など、飲みたい銘柄や産地を答えます。

泡盛の原料はタイ米と黒麹菌。琉球王朝時代に、タイや中国などとの交易を通じて蒸留酒の製造法が伝えられました。王朝時代、首里城近辺の限られた場所でのみ製造が許されていました。「琉球焼酎」として徳川幕府に献上されたり、黒船のペリー提督が沖縄に来たときに泡盛古酒がふるまわれたりしたと伝えられています。

一八七九年、琉球王国が沖縄県となったことで、酒造りが自由化され、沖縄各地での泡盛製造がスタートしました。

チャーガンジュウ

「ハイサイ、グスーヨー、チューウガナビラ、チャーガンジュウですか?」は、運動会やお祭り、会合など、沖縄のスピーチ挨拶の決まり文句。日本本土の人にとっては、全く意味がわかりませんが、「みなさん、こんにちは、お元気ですか?」というご挨拶です。

「チャーガンジュウ」は、チャー(いつも)、ガンジュウ(頑丈)で、健康という意味。那覇市には、高齢者福祉を担当する「ちゃーがんじゅう課」があったり、沖縄県が介護予防のために作ったキャンペーンソング「ちゃーがんじゅう体操」があったり、子どもたちが、おじぃ、おばぁの家から帰るときには、「おじぃ、おばぁ、チャーガンジュー、シミソーレー」(元気でいてね)と手を握ったり。

沖縄の暮らしに今も受け継がれている優しい言葉です。

3 しむちち

名作『琉球布紀行』

『琉球布紀行』（澤地久枝著、新潮文庫刊）は、首里の紅型、読谷山花織、久米島紬、喜如嘉の芭蕉布、八重山上布など、沖縄の島々で染め織られる13の布と作り手の物語です。

「染織の根気のいる仕事を聞く中で、沖縄戦の過酷な体験を聞く。琉球の布を訪ねて旅することは、作り手たちが背負ってきた人生を訪ねることだった」「砧打ちのあと、布地はなめらかな光沢をもって新たな誕生をする。『叩かれて光沢をまとう布』を考え出した人は、どんな人生を送ったのだろうか」「どんなに苦労をしても語ろうとしない。聞いても返事はしないで笑っている」「手仕事によって到達する頂点のなんとよく似ていることだろうか」

　開くたびに、感嘆のため息が漏れる名作。ノンフィクションの大家ならではの綿密な取材と、琉球の布への深い尊敬、見事な筆致で綴られるこの本を私は愛してやみません。

御嶽（うたき）とはなにか？

「御嶽とはなにか？　何に祈っているのか？　という問いには、一言では答えきれません。

祖先を崇拝するものであると同時に、ニライカナイからきた大いなる存在と交流する場でもある。屋敷の中にも集落にも、山にも海にも点在する。御嶽とは、多様な姿で、多様な展開をして、多様な意味を内包し、それでいて平然としている。それが御嶽です。集落や島に点在する御嶽を、一つにまとめて、大きな社を作ろうとすると、政治とヒエラルキーが生まれます。人が神格を感じている時に、それが一つの一定のものに統率されていくのは政治です。権威を作る時には、根拠をつくり、その説明が必要ですから。どこどこの神がこうなってああなってというのは人間の都合。多様な祈りの場は日本全国にあって、日本の神道も元々はそうでした。多様であることが本来の姿です」（名嘉睦稔（なかぼくねん）さんインタビュー

→141,164,171,187,191,211,232,250,264/365）

5｜しむちち

焼き物が並ぶ、やちむん市

沖縄本島中部にある読谷村（よみたんそん）は、やちむん（焼き物）の里。年に数回あるやちむん市は、大きな楽しみのひとつです。村内にあるやちむん工房の作品が一堂に並び、伝統的な柄の器、シンプルで渋めの器、ポップで可愛い器などなど、工房ごとの作風の違いを見ているだけでも楽しく、気づけばお財布の紐がゆるゆるに。器を選ぶ時間の中で、「どんな暮らしがしたい？」「家族や友達とどんな時間を共有したい？」と、自分と、家族と話し合うのも豊かな時間です。イメージの世界にあるのは、みんなが笑っている優しい時間。きっとそんな人がいっぱいいるから、やちむん市の会場はワクワクがいっぱい。

ある年は、ネコとお月様の模様のお皿と、台座のついたワインカップ、牛乳瓶を再利用した琉球ガラスのグラス、などをお土産に持って帰りました。食器戸棚を開けるたび、何度でもやちむん市のワクワクが蘇ります。

秋の沖縄

観光シーズンの夏を終え、9月後半、10月頃になると、秋の気配が出てきます。季節の変わり目を知らせてくれるのは、いつだって、風。真夏の間、熱風のようだった風の中に、少しだけ、気持ちの良い涼しさが混じってきたら、それは秋のサイン。沖縄の夏は海遊びが楽しめますが、沖縄の秋もこれはこれで最高の季節です。

なにしろ、真夏は、殺人的な太陽光線に恐怖すら感じるので、夏場、沖縄県民はあまり外に出ません。クーラーが大好きで、クーラーがきいた室内にいるのが大好き。クーラーをガンガンにきかせておくことが、おもてなしなんて部分さえあります。秋の風が吹き、ちょっと涼しくなってきたね、と言う頃に、やっと日中も外でゆっくり過ごすことができる気持ちの良いシーズンの幕開けです。キャンプに行ったり、海水は温かいので、海遊びもまだ楽しめたり、アウトドアを思う存分楽しめます。

7 | しむちち

221 / 365

カチューユは栄養食

「おばぁの家に泊まりに行ったら、朝ごはんはいつもカチューユだったわけ。おばぁはお母さんみたいにお味噌汁が作れないんだと思っていたら、大人になって、カチューユが健康にものすごくいいことを知りました。おばぁは最高の味噌汁を私に出してくれていたんだと思いました」。読谷村（よみたんそん）で「島やさい工房かめさんといっしょ」を営む山内都子（くにこ）さんから、こんなカチューユの思い出を聞いて、ほっこりしました。

「カチューユ」とはカツオブシを使った地元の汁物料理で、作り方は至ってシンプル！

お椀にカツオブシ、味噌、すりおろしたニンニクを入れ、湯を注ぐ。お皿などで蓋をして2〜3分蒸らして出来上がり。イノシン酸、リン、カルシウム、カリウム、ビタミンDなど栄養抜群。沖縄伝統の栄養食です。モズクやアーサー（あおさ）を入れると、さらに栄養も香りもパワーアップします。

8｜しむちち

11月8日

222 / 365

親の教えを爪に染めて

♪てぃんさぐぬ花や　爪先（ちゅみさき）に染（す）みてぃ　親（うや）ぬゆしぐとぅや　肝（チム）に染（す）みり♪（琉球民謡「てぃんさぐぬ花」）。

「てぃんさぐ」とは鳳仙花（ホウセンカ）のこと。赤い花が咲く、ツリフネソウ科の一年草です。触れると果実が弾けることから、花言葉は「私に触れないで」。小ぶりの赤い花は色が落ちにくいことから、その昔、沖縄の女性や子どもたちが、爪を赤く染める風習があったそうです。民謡「てぃんさぐぬ花」では、親の教えと、爪の色をかけて、「親の教えも深く心に染めなさい」と歌われています。

この歌を歌うとき、また、てぃんさぐの花を見たとき、私は不思議と、親になった今でも、子どもに向けて歌いたくなるのではなく、自分の両親へ、「たくさんの教えを与えてくれてありがとう」という気持ちで胸がいっぱいになります。

223 / 365

オーガニック小麦「かなさん」

近年、沖縄産のオーガニック小麦ブランド「島麦かなさん」が大きな注目を浴びています。小麦粉としての販売だけでなく、パンやパスタ、沖縄そば、ビール、スイーツなどの加工品も数多く利用されており、市場に行けば、「かなさん」の表記を見ない日がありません。販売しているのは、２０１５年、「持続可能な畑作、美しく健康的な作物、安心・安全な食材」をテーマに設立された沖縄県麦生産組合です。もともと、第二次世界大戦前の沖縄では、小麦や大麦の栽培が盛んでした。一時期は衰退していた小麦栽培でしたが、県内では今、伊江島を筆頭に、伊計島や津堅島などで生産者が増えています。

「かなさん」の特徴は、小麦本来の味がすること、そして外皮まで食べられるため、全粒粉での利用が好まれているそう。流通量はまだ多くはなく、店先で売っていればラッキー。安全でおいしい小麦、ぜひご賞味ください。

10 | しむちち

11月10日

224 / 365

離島を飛ぶという「誇り」

「沖縄の航空会社は、普通の会社にはない大きな役割を担っています。それは離島と本島をつなぐライフラインだということ。例えば、40年前は、まだ衛星がつながっていない南大東島にNHKのビデオを毎日運んでいました。トイレットペーパーも食料も、航空便で届くのを待っている島民がたくさんいます。今も、台風で飛行機が飛ばない日が続いた後は、いつも以上に、飛行機の到着を待っている人が多く、天気が悪くても、なんとか早く食料や物資を届けてあげたいという思いに駆られます。物だけでなく、週に1回、那覇の病院に通院するために、飛行機に乗っているおばあちゃんもいます。島民の生活、命を守ることが、沖縄の航空会社の、僕たちの誇り。そんな任務を背負って、離島の空港に着陸してエンジンを切ると、聞こえてくるのは、風の音、波の音、鳥の声だけ。静寂の中で、僕は深い幸せを感じます」（機長の友人談→147/365）

11月11日

225 / 365

ユイマール文化

沖縄を表す言葉のひとつがユイマール文化。ユイ（結）マール（順番）。助け合い、相互扶助の精神のことをさします。元々は、農家の畑仕事で順番に労力を交換し合ったことから始まり、今では、他の仕事や、誰かが困った時に「ユイマールだから」と言って助け合う文化が色濃く残っています。

ユイマール文化は、沖縄の真骨頂。病気の子どものための寄付金がすぐに集まったり、社会情勢や天気の影響で、お店や生産者さんが困ったりしていると、救いの手がたくさん集まったり。困っている人がいたら、すぐに手を差し伸べることができるユイマール精神の凄さに、いつも目頭が熱くなります。

県内には、沖縄都市モノレールの愛称「ゆいレール」をはじめ、「ユイ」「マール」「ユイマール」を使った施設名や会社名、プロジェクト名がたくさんあります。それも、ユイマール精神を愛する証拠かもしれません。

12 | しむちち

11月12日

226 / 365

HAPPY UNBIRTHDAY（ハッピー アンバースデイ）

記念日にもらうプレゼントも嬉しいけれど、何にもない日にもらうプレゼントもとっても嬉しいですよね。なんてったって、お相手のそのお気持ちが嬉しい。ランチの約束をして行ったら、お土産に「コーヒー好きだったよね？」と近所の美味しいコーヒー豆をいただいたり、葉っぱで作った手作りの小さなカゴをいただいたり、やんばる（沖縄県北部）の森の木のみやドングリをいただいたり。お誕生日じゃない日の小さな贈り物は、それがささやかであればあるほど、とても嬉しい。最近では、誕生日の何ヶ月も前に、お誕生日をお祝いする「スキップ誕生日祝い」というサプライズもあるそうで、私もお誕生日の11ヶ月前にお祝いをしてもらって、びっくり！　これはこれで、ひとしお嬉しく楽しいプレゼントでした。アンバースデイとは、誕生日以外の364日のこと。アンバースデイの日も、毎日が「おめでとう！」なのです。

11月13日

13｜しむちち

227 / 365

あの世の楽園「ニライカナイ」

琉球では水平線の向こうに、あの世の理想郷「ニライカナイ」があると伝えられてきました。人の魂はニライカナイからきて、ニライカナイへ還っていく。死後7代して、先祖の魂は、親族の守護神に変わるとされ、ニライカナイは守護神が生まれる場所とも言われています。祈りに詳しい喜瀬慎次(きせしんじ)さん

→279/365からは、こんな話を聞きました。

「経験上、臆病な人を、除霊してもその人は変わらないということが分かった。怖さが心の中にある以上、人はなかなか変われない。じゃあ、どうすればいいか？　一番早いのは、その人の守護神を起こしてあげること。いつでも左手を胸に当てるだけで、ニライカナイの神とつながれる。多くの人々が救いを求めて行く神社仏閣より、自分だけの守護神とつながった方が早いでしょう。じゃあ、守護神とつながるにはどうすればいいのか？　それは徳を積むことです」

14 | しむちち

11月14日

228 / 365

レモングラスの香りでお迎え

麦茶に負けず、お茶を作る頻度がかなり高いのが、レモングラスティです。我が家のアタイグヮー→345/365でも育てているため、フレッシュな生のレモングラスがいっぱい。お客様が来る数十分前に、レモングラスを収穫して、たっぷりのお湯で沸かしておくと準備完了。お客様が玄関に入った瞬間に、「わあ、爽やかないい香りがする！」と喜ばれ、レモングラスの香りとお茶でおもてなしできます。

胃腸の調子を整え、食後の消化を助けてくれるので、食欲不振や消化不良、胃もたれの時にピッタリ。お茶だけでなく、スープや料理の香りづけにも活躍します。レモングラスの精油には、虫が嫌がる「シトラール」という成分が入っているため、虫除けにも効果的。爽やかな香りは、リフレッシュしたい時、集中して何かをする時にもぴったり。短めに切ってプレゼントにも喜ばれます。

15 | しむちち

229 / 365

レトルトで食べられる琉球料理

沖縄では「クスイムン（食は薬）」という考え方が根付いており、中でも、体調が悪い時には、滋養効果の高い食材を煮込んだ汁物「シンジムン（煎じたもの）」を食べます。手作りが理想ですが、核家族の我が家がよく頼るのは、オキハムの琉球料理シリーズのレトルトパックです。ソーキ汁や牛汁、ヤギ汁、いなむどぅち（白味噌の味噌汁）など、温めるだけで食べられるのでとっても便利！ いなむどぅちや中味汁は本来、お正月や旧暦行事のときなどのお祝いの席で食べられていました。イカスミ汁は、シンジムンの代表格で、内臓が疲れているなと感じた時、真っ先に食べます。このシリーズは、食品スーパーの沖縄料理コーナーに行くと、ずらりと並んでいます。最近はネットでも購入できるので、単身赴任や進学、結婚などで、日本本土、海外にいる親族に送る人も多いそうです。県外で食べる温かい琉球料理、想像しただけで、おいしそうです。

八重山の玄関口、石垣島

沖縄の離島は、大きく分けると、沖縄本島周辺離島、宮古諸島、八重山諸島の3つに分けられます。八重山諸島は、竹富島や西表島など、観光客に人気の離島が多くあります。

空港とフェリーターミナルがある石垣島は、そんな八重山諸島の中心的存在。大型のスーパーマーケットや市場があって便利な一方、沖縄で一番高い山、於茂登岳（おもとだけ）があったり、景勝地の川平湾（かびらわん）があったりと、森遊びも海遊びも楽しめます。オシャレで美味しいお店も数多くあり、離島の中では、できることの選択肢がとても多い島という印象です。

石垣島に行くたびに、会いに行きたい人がたくさんいます。民藝の達人、野菜の達人、ハーブ、豆腐、料理、ヨガ、ジェルネイルなど、その道の専門家が多いのも特徴。大自然、資源、人材などが豊富に集まり、純粋でまっすぐな才能を育んでくれるのかもしれません。

17 しむちち

運動会と戦闘機

小学校の運動会でのこと。子どもたちが走ったり、踊ったりしている最中に、何度も、ゴーーーッという大きな騒音が聴こえてきます。空を見上げると、そのたびに今にも戦地へと向かうような戦闘機が大空を横切っていきます。戦闘機の音が止むまで、競技の放送も、子どもたちの動きもゆるやかに止まり、戦闘機が過ぎ去ったら、何もなかったかのように再開。子どもたちに戦闘機の音について聞くと、「いつものことだから」とひと言で終わり。日本の国土面積の約0・6％しかない沖縄県には、全国の米軍専用施設面積の約70％が集中しています。そのため、授業中も、友達とのおしゃべり中も、戦闘機の音がしたら、しゃべるのを止めて、過ぎたら戻る。友人曰く「慣れているのでもなく、受け入れているのでもない。受け入れ難いものと共に、暮らさざるを得ない暮らしが半世紀以上も続いている」。これも沖縄の現実です。

18 ｜しむちち

11月18日

232 / 365

御嶽（うたき）のはじまり

「日本では田んぼの中に鎮守の森がポツンポツンとありますよね。見た瞬間、これは沖縄でいうところの御嶽（祈りの場）なんだなと思いました。沖縄は土地がそんなに広くないので、集落の背後の小高い場所に、親が子供を抱くような感じで存在することが多い。

元々は、御嶽には土どめをする以外は、何も置かないのが基本でした。それが1年に1回や数回、神遊びとか行事の時に、浜からサンゴや砂を持ってきて敷くということが毎年繰り返されることで、御庭（うなー）（広場）になっていきました。

御嶽は、その場所単体として存在するのではなく、山に神様が祀られていて、そこへお通しするような、山の神様の玄関口のような場所になるなど、様々なケースがあります」（名嘉睦稔（なかぼくねん）さんインタビュー→1

41,164,171,187,191,211,218,250,264/365）

19 ｜しむちち

233 / 365

南仏とスペインへ

沖縄はハワイに似ているとよく言われますが、ホテル日航アリビラは、南仏やスペインを思わせる異国情緒たっぷりの場所。「スパニッシュコロニアル」をテーマにした館内は、アイアンやスパニッシュタイル、アーチがふんだんに取り入れられ、廊下を歩いているだけで、非日常の特別な世界へと誘われます。館内のレストランは記念日に、ラウンジは仕事の打ち合わせをしたり、お友達とティータイムを楽しんだり、執筆に集中したり。ＴＰＯに応じて、暮らしに彩りをくれます。

ホテルのパティオ（中庭）には一年中季節の花々が咲き誇り、中庭を抜けると、ガーデンプール、そして白砂のビーチと紺碧の海が広がります。沖縄に住んでいると、毎日はリゾートではなく、暮らしになってしまうのですが、時々、こうして非日常の空間へと足を運ぶことで、旅のワクワクと解放感に満たされます。

島の命草（ヌチグサ）が朝ごはん

竹富島では、効能が高い野草、薬草、野菜を、「命草」と呼び、薬代わりに食してきました。星のや竹富島→57/365では、島で受け継がれてきた命草を使った朝ごはんが食べられます。朝食メニューは、体に優しいゆし豆腐粥や、命草のニース風サラダ、海老とミーバイのブイヤベースがセットになった海風ブレックファストなど。中でも特筆すべきは、古くから島になじみのある食材をふんだんに詰めた重箱料理「島の九品朝食」です。

長寿のハーブである長命草、縁起物の珍しい田芋、濃い味わいの島豆腐、ピーヤシ（島胡椒）を使った重箱は、目にも美しく、舌も身体も喜ぶごはん。朝日を浴びながら、香り高い薬草と島の恵みを味わえば、活力溢れる一日が始まります。

敷地内の畑では収穫体験もできます。この土地から、この島の食文化がどのように生まれ、受け継がれてきたのかを、肌で感じられます。

11月21日

21｜しむちち

235
/
365

言葉に気をつけて

ことわざ

綱（ちな）ぬ余（あま）いや
使（ちかー）りーしが
言葉（くとぅば）ぬ余（あま）いや
使（ちかー）らん

意訳

「綱の余りは何かに使えるけれども、言葉の言いすぎは何の役にも立ちません」

うちあたい（身に覚えがある）して、耳が痛い格言です。言ってしまった言葉や、書いてしまったメールを後で後悔しても、覆水盆に返らず（白紙に戻せない）。

余計なことは言わないように。言いすぎないように。綱の余りをお守りに、肝に銘じておきたいことわざです。

22 しむちち

11月22日

236 / 365

夫婦円満の秘訣

黄金言葉

何時(いち)ん忘(わし)るなよ
肌(はだ)添(す)わん昔(んかし)
御縁(ぐいん)結(むし)ばてぃ
しちゃる心(くくる)

恩河朝祐(おんがちょうゆう)

意訳

「いつも忘れてはいけませんよ。まだ夫婦の交わりをする前のご縁を結ぼうとした始まりの時の心を」

「肌添わん昔」とはなんと色っぽい表現なんでしょう。夫婦の交わりをする前のことを指し、長い夫婦生活でいろんなことがあるけれども、「肌添わん昔」の頃の思いを忘れてはならないよ、という大先輩からの教えが、胸に刺さります。

23 | しむちち

237 / 365

琉球風水でできた集落

日本の風水とは別に、沖縄には独自の琉球風水と呼ばれる考え方があります。台風や海風など、沖縄ならではの自然気候にのっとった空間・場所を整えるための法則です。琉球風水で作られた建物の最たるものが首里城であり、村や町をつくる際にも琉球風水は用いられています。沖縄の昔ながらの集落は、山を背後に集落を作り、お屋敷のまわりにフクギを植えることで、台風から集落を守るように計算されています。そして、玄関や縁側が南に設置されているのは、涼しい海風が屋敷に入るようにという考えからです。うるま市勝連南風原（かつれんはえばる）は、１７２６年に琉球風水で作られた集落（『勝連町南風原字誌』）。道路は碁盤の目になっておりますが、東と西に1箇所ずつだけ、不思議な三角形の土地（クンマーシー）があります。これは、敵をあざむくためと同時に、魔物（マジムン）を集落の中に入れないためのもの。こんなところにも魔物対策！

24｜しむちち

11月24日

238 / 365

沖縄食堂LOVE

気軽に沖縄の家庭料理が食べたい時に向かうのが、沖縄料理の食堂です。ゴーヤーチャンプルーやソウミンタシヤー（ソウメン炒め）、パパイアイリチー（パパイアの炒め物）、ナーベーラーンブシー（ヘチマの味噌煮）など、沖縄の定番料理のメニューがずらりと並びます。中でも食堂ならではのメニューが「Aランチセット」「みそしる」「沖縄ちゃんぽん」（写真）です。「Aランチセット」とは、松花堂弁当の松竹梅の松のような存在。Bランチセット、Cランチセットとなるにつれ安価なセットになります。メニューにある「みそしる」は、丼ほどの大きなお椀に、具沢山の味噌汁が入っていて、ごはんと漬物がセットになったもの。それを知らずに、追加で味噌汁を頼むと、テーブルの上が大変なことになるのでご注意を。「沖縄ちゃんぽん」はごはんの上に野菜炒めと卵がのったもの。店によってレシピが少しずつ違うのも、おもしろいのです。

一緒にモヤモヤしよう

考えてもしょうがないことを考えてしまう。考えないようにしようと思っても、つい考えてしまって、その無限ループから抜け出せないときってあります。そんな時、友人が言ってくれました。「一緒にモヤモヤしよう！」って。この言葉が一気に気持ちを軽くしてくれました。つらいことがあっても、ただ、そこに寄り添ってくれる人がいれば、それがたとえ一瞬だとしても楽になる。人間の気持ちって、本当に複雑なようでいて、時に、びっくりするくらいに簡単なことってあります。そんな人間らしさこそが、愛おしい。

「優しい」という漢字は、憂う人に寄り添う人と書いて、「優しい」と書きます。沖縄には、仕事や人生に疲れて、旅行に来る方がたくさんいます。憂う人に「大丈夫だよ」「一緒にモヤモヤしよう」って、寄り添ってくれる土地、それこそが沖縄だなあと感じます。

26 しむちち

11月26日

240 / 365

ピンク色のおむすび

初めてローゼルのおむすびを食べたのは、沖縄に来て1ヶ月目くらいのこと。料理研究家の先生の家で、ピンク色のローゼルおむすびが出てきて、「こんな美しいおむすび初めて見ました！これはなんですか？」と聞いたことを覚えています。

ローゼルはアオイ科の植物。お花ではなく萼（がく）の部分を、サラダやピクルスに使います。先生は、ピクルスにしたローゼルの萼をみじん切りにしてご飯と混ぜて、おむすびにして出してくれました。酸味と甘味のバランス、そして見た目の美しさに一目惚れ！　沖縄ならではの野生味のある美味しさに感動しました。

身体を冷やす効果のある植物なので、夏場にミントとブレンドしてお茶にしてもおいしいし、料理に使うと、眼精疲労や美肌に効果があると言われています。

27｜しむちち

笑って余生を過ごそうよ

黄金言葉

互（たげ）に打（う）ち笑（わら）てぃ
話（はなし）花（はな）咲（さ）かち
命（ぬち）ん延（ぬ）び延（ぬ）びとぅ
浮世（うちゆ）渡（わた）ら

（詠み人知らず）

意訳

「笑いながら、話に花を咲かせて、余生を過ごそうよ」という、なんともほんわかした歌。沖縄の離島で過ごしていると、ご近所のおばあちゃんの家々から大笑いの声が聞こえてくることがよくあります。心の底から笑ってお喋りをする「打ち笑てぃ」の時間こそが、沖縄の長生きの秘訣の一つと言われています。

28　しむちち

11月28日

242 / 365

ネコは仕事仲間

　離島に行くと、猫をたくさん見かけます。あるとき、神の島で名高い久高島に住む博識の男性に、長年の疑問を聞いてみました。

「離島の方々にとって、猫ってどんな存在なんですか？」するると、意外な答えが返ってきました。それは「猫は仕事仲間です」。仕事仲間？　それはどういう意味？

「我々は、海の民。船の上で、ネズミというのは天敵なんです。漁の網をかじられて、壊されるから。だから、海人（うみんちゅ）（漁師）は船に猫を乗せて漁に出る。昔、小さかった頃、僕が猫をいじめていたら、おばぁにそりゃあ怒られました。『お前は猫の仕事ができるのか？　ネズミを捕まえることができないだろう』とね」

　猫は仕事仲間。そんな海人たちの考え方にシビレます。

29 しむちち

高級肉のオンパレード

11月29日はいい肉の日。石垣牛やもとぶ牛を筆頭に、沖縄産のブランド肉は数多くあります。元々、沖縄の離島では子牛産業が盛んで、沖縄で生まれ育った子牛が、競りで日本本土へ渡り、神戸牛や松阪牛となって市場で販売されてきました。近年では、大きくなるまで沖縄の広い牧場で育ったおきなわ和牛も、最高級の肉として高い評価を得ています。

そして、経産牛については課題があります。通常、牛は10回以上のお産をすると、安価で引き取られ、加工食品やペットフードに利用されることがほとんどでした。しかし、うるま市産のあやはし牛は、「命を無駄にしない。最後まで美味しくいただくことが牛たちとの約束」という思いから、出産後に改めて、美味しい肉になるように肥育をし直しています。程よい脂身と、赤身の旨味が詰まった経産牛。重役を終えたお母さん牛がお皿の上に現れたとき、手を合わせずにはいられません。

30 | しむちち

11月30日

244 / 365

どう読むの？ 沖縄の地名

車を運転したり、道を歩いたりしていると、読めない地名が多いこと！ 逆立ちしたって読めない！ そのレベルは笑えるくらいに高いのです！ さあ、どこまで読めますか？

・読みづらい市町村名

今帰仁村（なきじんそん）、恩納村（おんなそん）、北中城村（きたなかぐすくそん）、北谷町（ちゃたんちょう）、読谷村（よみたんそん）、中城村（なかぐすくそん）、南風原町（はえばるちょう）、金武町（きんちょう）

・読みづらい地名

東風平（こちんだ）、城辺（ぐすくべ）、新城（あらぐすく）、喜屋武原（きゃんばる）、勢理客（じっちゃく）、平安座（へんざ）、饒波（のは）、前兼久（まえがねく）、具志頭（ぐしちゃん）、銘苅（めかる）、石川嘉手苅（いしかわかでかる）、真地（まあじ）、後原（こしはら・くしばる）

1 しわーし

クリスマス商戦

11月末のサンクスギビングデー（感謝祭）が過ぎると、街は一気にクリスマスムードに。お店では、クリスマスソングがかかり始め、クリスマス商戦がスタートします。クリスマスの飾りやプレゼントを買いに出かける人も増え、デパートやお店は大賑わい。暖かい沖縄ですが、クリスマス気分は存分に味わいたいのです。

子ども向けのテーマパークでは、雪遊びやソリ滑りなどのイベントが行われる一方、海辺のカフェでは、クリスマスソングのBGMが流れながら、海ではサーフィンを楽しんでいる人もいるので、さながら南半球のクリスマスのような光景です。

「今年のクリスマスはどう過ごす？」「クリスマスプレゼントは何にする？」なんて会話を楽しみながら、クリスマスまでのカウントダウンをする日々は、一年のご褒美のようなワクワクがあふれる期間です。

南国の貴婦人 オオゴマダラ

沖縄は150もの種類が確認されているチョウの楽園。中でも、日本最大級のチョウ「オオゴマダラ」は特に愛されている県蝶です。大きくなると、13～15センチにもなり、ヒラヒラと舞う優雅な姿は「南国の貴婦人」と呼ばれています。サナギ時代は、まるで金色の折り紙を丸めたような、まばゆいばかりの黄金色をしています。

保育園や学校でも飼育されていて、我が家も育てたことがありました。幼虫から黄金色のサナギになり、羽化していく様子は、まさに自然界の神秘！ しかし、育てた中には羽が片方しかなく、飛べない個体もいました。大空を飛ぶチョウは、生まれた卵の中の数%なんだそうです。

「美と喜びの象徴」「神様に願い事を伝えてくれる」という一説もあるチョウ。沖縄では「魔物(マジムン)から守ってくれる」とも伝えられ、赤ちゃんの衣服や着物の模様にも使用されてきました。

12月3日

3 しわーし

247 / 365

魔除けのヒンプン

沖縄の昔ながらの家には、屋敷囲いの塀から敷地内へ少し入った正面にヒンプンと呼ばれる塀があります。これは、中国にある「屏風」が沖縄に伝わり変化したもので、目隠しや、魔物を跳ね返す魔除け、風除けなどの機能を持つ優れものです。

風通しのいい開放的な南国の暮らしの中でも、プライバシーを守りながら、内と外とをおおらかにつなぎ、でもしっかりと線を引く、この絶妙なバランスが懐の深い沖縄らしさの象徴のように感じます。

ヒンプンの材料は、石や琉球石灰岩、赤瓦で装飾をしたり、ハイビスカスなどの樹木をヒンプン代わりにしていたりと様々。遊び心のあるもの、高貴な雰囲気が漂うもの、歴史を感じさせるものなど、ヒンプンを見るだけでも、その家の物語や、住人の人柄など想像力をかき立てられます。

4 | しわーし

12月4日

248 / 365

沖縄の光と闇

「観光」は「光を観る」と書きます。沖縄は観光立県と呼ばれていますが、沖縄の持つ光とはなんでしょう? 灼熱の太陽、亜熱帯ジャングルから差し込む木漏れ日、海のきらめき、夜空を照らす月光、御嶽(うたき)の持つ神秘的な光、人々の笑顔、沖縄の光に想いを巡らすと、きりがありません。

光があるところには闇があります。社会的、政治的課題を抱えながら、闇を光に変えてきた沖縄の歴史には、ひときわ心が強く揺れ動きます。沖縄という土地で、どんな光を観て、どんな闇を観て、そこから「何」を受け取るのか。島を歩く中で、過ごす中で、光と闇に目を向ければ向けるほど、個々人の人生が本流へと近づいていく。

それこそが「観光」の本当の意味のような気がしています。

5 しわーし

249 / 365

見聞きしたことが自分を作る

琉球いろは歌

見馴れ（ミナリ）聞き馴れ（チチナリ）や
覚（ウビ）らじに染ん（スムン）
そさ（スソ）うに有る人の（フィトゥヌ）
側（スバ）に居（ヲウ）るな

意訳

人は、普段見たり聞いたりしていることに、知らず知らずのうちに染まってしまいます。だからこそ、自分にとって良い影響のある人の側、グループの中にいたいものです。日本のことわざにも「朱に交われば赤くなる」「門前の小僧、習わぬ経を読む」といった言葉もあります。

環境が人を作る。日常生活が本番です。

神と交信する場所

「御嶽の前の広場は、御庭（ウナー）と呼ばれます。ただの広場ではなく、神と同化、交信する場所です。お祈りをする御願（うがん）の時は、『口で声に出さなければ、伝わらないよ』と言われます。声に出して、周りの状況や、祝辞、今日の祈りの理由を、言い切れないといけない。沖縄は海の邦。行事や出来事は、潮の満ち引きに関係するから、旧暦は重要です。そして、口に出さなければいけない理由は、神様だけでなく、周りの人たちと、気持ちを共有することが大切だからです。沖縄で古くから伝わる踊りの目的は、奉納が基本だったし、神事での人の所作や声は、神を讃えるもの。声を出すことも、手を打つことも、踊りも三線も笛も、神と共にあることを知覚する方法の一つで、全てに霊的な意味が込められていました」

（名嘉睦稔（なかぼくねん）さんインタビュー→141,164,171,187,191,211,218,232,264/365）作品名［珊瑚花畑四十「礼拝」1991年作］

奇跡の樹、モリンガ

「生命の樹」「奇跡の樹」という異名を持つ、今話題のスーパーフード、モリンガ（写真で手に持っている葉）をご存知でしょうか？ 成長スピードが速く、3ヶ月で2メートルもの大きさに育つこともあるそうです。元々は、インドを中心とした南アジアやアフリカ・南米などが原産で、日本では自生していなかったのですが、近年、沖縄でも栽培が始まり、市場で買ったり、友人から葉っぱを頂いたり、食べる機会が増えました。コレステロール低下、血圧調整、視力向上、抗うつ、免疫向上、抗炎症、消化・代謝の促進、疲労回復など、期待されている効能が300以上！ 柔らかな葉っぱはもちろんのこと、種や樹皮も粉末にして料理やマッサージ等の施術に利用されています。我が家では、葉をお料理に散らしたり、お茶としていただいたり。簡単な利用法だけですが、「今、奇跡の葉を食べているんだ」と思うだけで何だか元気な気分になれます。

12月8日

かっこいい年の重ね方

年の瀬の寒い日の朝、起きたら、斜め向かいのおうちの70歳のおじいちゃんが、平屋の屋根の上に立って、ペンキを塗っていました。命綱的なものはなく、裸足で、はけを慣れた手つきで動かしている。元気な方ではあるけれど、「大丈夫ですか？ 気をつけてくださいね！」と声をかけると、「全然、大丈夫！なんの問題もない！ なんでも自分でやるからよー！」と二コニコ。沖縄のおじぃたちのたくましさに、朝から驚きました。（でも高いところの作業はどうか気をつけて！）

昔は、特に離島では、暮らしは基本的に自給自足。家を建てるのも修理するのも自分でしなければならないので、お年寄りの多くが、なんでもヒョイヒョイとやってしまいます。その器用さ、たくましさは本当にかっこいい。先輩たちの後ろ姿を見ていると、歳を重ねることが楽しみになります。

9 | しわーし

253 / 365

上質な孤独

すてきな暮らし方をしている友人はみな、ひとり時間の過ごし方がとっても上手。ガーデニングをしたり、民具を編んだり、書き物をしたり、森や海を歩いたり、お茶を飲んだり、映画を観たり。

「孤独には力がある。とびきり上質な孤独になれる時間を一日一時間は持つ必要がある」

と語ったのは、アメリカの哲学者ヘンリー・デイヴィッド・ソロー。充実した静かな時間を過ごした後は、心がおだやかな湖のように整います。孤独こそが実は一番の贅沢なのだと、年を重ねるごとに気付かされます。

私にとっての上質な孤独時間は、ビール片手に夕陽を眺めたり、畑のお花を家に飾ったり、子どもが寝静まった後、お楽しみの本を読んだり、ゆっくりお風呂に入ったり。月がきれいな夜は、屋上で月光浴をすることもとびきり上質な孤独時間です。

10 ｜しわーし

12月10日

254
/
365

南国の温泉事情

リフレッシュしたいな、ゆるみたいな、なんだか背中が寒いかも？　なんて感じたときに行くのが温泉です。温暖な沖縄で温泉？と思われるかもしれませんが、絶景の温泉や大浴場が各地にあります。空港から一番近いのが、瀬長島にある「琉球温泉龍神の湯」。深さ120センチの立ち湯があり、肩まで温泉につかりながら、海に沈む夕陽や、那覇空港に離発着する飛行機を眺めることができます。

本島中部にあるのが「エナジック天然温泉アロマ」や、伊計島にある「黒潮の湯」、本島北部には、「美ら海の湯」、宮古島には「シギラ黄金温泉」など。沖縄の温泉施設は、ほとんどが海を望む絶景で、温かい温泉につかりながら、ぼーっとする時間は、ただただ至福の時。体内の不純物やモヤモヤした思いをお湯に流し、沖縄の地熱で温まった温泉に入れば、全身の毛穴という毛穴から大地のエネルギーを受け取れます。

255 / 365

辺銀（ペンギン）食堂の石垣島ラー油

調味料天国とも言える沖縄。我が家の冷蔵庫には、黒糖肉味噌、シークヮーサー胡椒、各地域の万能ソースなど、沖縄産の調味料がいつも仲良く並んでいます。中でも、長年常備している調味料といえば、「辺銀食堂の石垣島ラー油」。日本中にラー油ブームを巻き起こし、生みの親である辺銀暁峰（ぎょうほう）・あいりさんの人生は映画化もされました。

　ラー油は、暁峰さんの生まれ故郷・中国では各家庭で作られるのが当たり前だったため、あいりさんが「故郷の味を食べさせてあげたい」と思って作ったのがきっかけでした。世界の食に精通する二人は「その土地のものを食べると、その土地の一部になる」と話します。ラー油の原料は、ピパーチ（島胡椒）、島とうがらし、石垣島の塩、ウコン、八重山産の黒糖など。料理の美味しさを格段にアップしてくれるだけでなく、ピリリとした島の恵みが、体内に心地良い刺激を与えてくれます。

12 しわーし

12月12日

256 / 365

「なんくるない」の本当の意味

有名な沖縄の言葉で「なんくるないさ」（大丈夫、なんとかなるよ）があります。実はこれ、ちょっとだけ、文章足らずで、日本本土に出回ってしまっているため、少しだけ誤解が生じているみたい。「なんくるないさ」の元々の文は「真（まくとぅ）そーけー　なんくるないさ」（人として正しい行いをしていれば、自然となるようになる。報われる日がくるよ）という意味。日本語の「人事を尽くして天命を待つ」と同じです。なにもしないで、「なんくるないさ」は、そうは問屋が卸さない。

戦後の混乱、焼け野原、飢えと貧しさの中で、「なんくるないさ」と毎日を生き抜き、命をつないだおじぃ、おばぁたち。知人のおばあちゃまは、「なんくるないじゃなくて、『なんくるすん』だよ、自分でなんとかするのさ！」とおっしゃっていたとも聞きました。「なんくるすん！」（なんとかする）。これもすてきな言葉です。

12月13日

13 ｜しわーし

257 / 365

クレーム対応の神

ご近所のよく行く沖縄そば屋さんに、ある日、こんなメモ書きが貼られていました。

「沖縄そばを食べてきた中で、ここは20点。美味しくはない。食べられるだけの味だった」

お店の感想ノートに書かれた紙が貼られていたのでした。「なんで貼っているの？」と聞くと、店主のおじさんは、

「精進するために」

との返事。このそば屋さんは、私にとってはとても美味しく、グルメな友達が来てもいつも大満足、毎日大行列の人気店です。それでも、こんな意見が来ても、隠したり、文句を言ったりすることもなく、貼り出すなんて…。驚いて黙っている私に、おじさんは、

「それに、貼った方が、かっこいいでしょ？」

とにんまり。うん、かっこいい！

14 | しわーし

12月14日

258 / 365

冬の夜空はスターが集合！

冬の星空は、キラキラと輝く星座が勢揃いするため、星座探しを楽しめる絶好の季節です。夜空を見上げると、ひときわ輝く一等星がシリウス。その西側には、太鼓の鼓のような形のオリオン座があり、その隣には、スバル（プレアデス星団）が輝きます。オリオン座の中央に位置する3つの小さな星を、ギリシャ神話では狩人オリオンのベルトと例えてます。沖縄を代表する地ビール「オリオンビール」も、公募により沖縄の夜空にひときわ輝くオリオン座から命名されました。

オリオン座が高く上がった頃、地平線から上がってくるのがりゅうこつ座の一等星カノープス。北の地域ではなかなか見ることができないため、中国では南極老人星と呼ばれています。ひと目見ると長生きできると言われている縁起の良い星です。

15 しわーし

南国イルミネーション

12月に入ると、冬の風物詩でもあるイルミネーションが沖縄各地でスタートします。代表的なのが、日本夜景遺産にも認定されている「東南植物楽園」（植物園）の南国イルミネーション、家族連れに人気のリゾートホテル「カヌチャリゾート」のスターダストファンタジア、動物園「沖縄こどもの国」のクリスマスファンタジーなど。南国植物が幻想的な電飾で飾られていたり、沖縄では見ることのできない雪が会場で降ったり。子どもも大人も大喜びです。

北谷のアメリカンビレッジや、アウトレットモールなど商業施設も冬はイルミネーションでキラキラ。外国人が多く住む地域では、個人宅の玄関先やベランダも、ソリに乗ったサンタクロースや、スノーボールが通り行く人を楽しませてくれます。暖かい沖縄も、すっかり冬のロマンチック雰囲気に包まれます。

16｜しわーし

12月16日

260 / 365

おばあちゃんの魔法

少し喋っただけで心の奥底が温かくなる、手を握っただけで泣きそうになってしまう、そんなおばあちゃんが、沖縄には数多くいます（日本全国、世界中にも）。そんな女性たちに共通するのは、今の生活からは想像もできない苦労と哀しみを経験していること。壮絶な戦争体験、極貧、差別や孤独。だからこそ、彼女たちの口から、「命どぅ宝」「まくとぅそーけーなんくるないさ」を聞くと、前を向くパワーをもらえる。それを私は「おばあちゃんの魔法」と呼んでいます。

ご近所の大好きなおばあちゃんにとても悲しいことがあったとき、「何かできることはないですか？美味しいものとか」と言ったら、「私はね、美味しいものを作ってあげるのが好きなのよ。もらうんじゃなくて、あげたいの」と逆にお菓子をいただいてしまいました。悲しみの淵でもユーモアと愛を忘れない。そんな先輩たちを心から尊敬しています。

17 しわーし

12月17日

261 / 365

病気の時の滋養食、チムシンジ

「チムシンジ」は、「チム」（豚レバー）の「シンジ」（煎じ汁）。貧血や風邪、弱った時に食される「クスイムン」（薬、滋養食）です。「病気の時はおばあちゃんがチムシンジを作ってくれた」という思い出話をよく聞きます。

《簡単な作り方》

1 豚レバーを水でもみ洗いして、血や臭みを取る。
2 かつお出汁をとる。
3 豚肉、豚レバーを茹でて、短冊切りにする。
4 ジャガイモはイチョウ切り、島ニンジンは斜め輪切り、青ネギは2センチ幅、ニンニクは千切りにする。
5 鍋に出汁と、青ネギ以外の材料を入れて、火にかける。
6 沸騰するまで強火にし、アクを取りながら弱火で材料が柔らかくなるまで煮込む。
7 塩や味噌で味を整え、ネギを散らして出来上がり！

18 | しわーし

12月18日

262 / 365

SNSから離れる

「静けさは、大きな力の源である」と中国の哲学者・老子が語ったように、「静けさ」は意識して取り入れたい時間。

現代の私たちは、往々にしていつも情報の中にいます。どこにいても、人の声や街の音だけでなく、SNS、メディア、広告、スマートフォンから絶えず情報が流れ込んでくる。そういった音や情報のいっさいから離れ、海や森、家の中、自分が安心できる場所で、静かな時間を味わうことは、心輝く豊かな時間の大切な一つの要素です。

かの偉大な物理学者・アインシュタインは「どうやったら成功できますか?」という質問にこう答えました。「A(成功)=X(仕事)+Y(遊び)+Z(沈黙)」。ここでの成功とは、人生の成功、つまり「人生の幸せ」のことを語っており、仕事と遊びだけでなく、「沈黙」が必要だと答えています。

19 ｜しわーし

うちなーんちゅは離島に行かない?

沖縄県民人（ウチナーンチュ）にとって、海はビーチパーティをする場所で泳ぐ場所じゃない。さらに、沖縄本島に住む沖縄県民の中には「離島には行ったことがない」という人が大勢います。

離島に行くには航空券代や宿代などもかかるため、どうせ行くなら、東京や大阪、京都などの都会に行く人が多いようです。沖縄県外の出身者からしたら、海の美しさも離島文化の奥深さも、面白くて仕方ありませんが、海を当たり前に見て育ったら、都会の刺激や日本文化の方がむしろ新鮮で面白味があるようです。

ご近所のおじさんには、「海に潜って、魚を捕らないで帰ってくるなんて、潜る意味がわからない」と言われました。おっしゃる通り。ただ、沖縄生まれの友人の中には、初めてダイビングをして海の中の美しさに感動し、30歳を過ぎて、海の中を泳ぐことに目覚めた！ という人もいます。

20｜しわーし

12月20日

264
/
365

精神の地平でつながっている

「ふるさとの島を出て、沖縄本島や日本本土、海外に出ると、自分の生まれ島がいかに物理的に小さな島だったかを知ります。けれど、これまでずっと、別の世界、広い世界と思ってきた場所に立った時、そこが小さいはずの生まれ島と深いところでつながっていることを感じるんです。例えば、アメリカの広大な景色の前に立つと、沖縄の風景とは全く違うわけだけれど、でも、精神の地平ではつながっている感覚がある。じゃあ、どこが具体的に一緒なの？と自分に問うと、そこで受け取る感覚が、生まれ島のどこと通じるかを考える。例えば、目の前の大きな岩と、生まれ島の大木とがつながるものは何なのか。そこから絵が生まれます。精神世界に強弱はなく、どこまでも深い遠大さがある。世界は一つというよりは、世界は連動しているんです」（名嘉睦稔さんインタビュー→141,164,171,187,191,211,218,232,250/365）作品名［榁檀風　２０００年作］

12月21日

21 | しわーし

265 / 365

冬至の朝は、若太陽（わかてぃーだ）拝み

冬至は、一年で昼の時間が最も短く、夜の時間が最も長い、陰きわまりて陽となる日。沖縄では冬至の日の太陽を、「若太陽」と呼びます。太陽の赤ちゃんが生まれる日、世界が新しく生まれ変わる日。そのため、冬至の日には、朝陽を拝む風習「若太陽拝み」をします。ひとあし早い、初日の出のような感じ。私もがんばって早起きをして、若太陽拝みをして、近所の御嶽（うたき）を参拝して回ります。なんだか初詣のようで、心が引き締まり、太陽とともに、新しい一年がはじまるのだと気が引き締まります。

冬至が来たら、いよいよ冷たい海風が強く吹き始めるため、この時期の寒さを「冬至寒さ（とぅんじーびーさ）」と呼びます。いそいで暖房器具を出したり、暖かい上着を買ったり。栄養をつけるために、冬至の日は里芋の入ったジューシー（沖縄風の炊き込みご飯）を食べます。

22｜しわーし

12月22日

266/365

丸ごとチキン

クリスマス料理といえば、チキンの丸焼き！ホームパーティに持っていくと人気者になれます。沖縄には大人気の丸ごとチキンの専門店がありますし、自宅で焼いたものを持ってくる、料理上手な友人も多くいます。友人の一人は、キャンプ場で、丸ごとチキンを焚き火でこんがり焼き上げてくれました。他にも、パーティに1時間以上遅れてきた子が、美味しそうなチキン片手に、「焼けるのに時間がかかって」と言った時は、ちょっとかっこいいなと思ってしまいました。

沖縄で食べる丸ごとチキンは、ニンニクやハーブがこれでもかとたっぷり入っているものが多く、スタミナ満点！付け合わせに、ローズマリーとジャガイモ、パプリカの黄や赤色もあるとさらにカラフルになって年末感がアップ。宴会の翌朝には、残りのお肉と骨を使ってチキンスープにすると、胃にも優しく、これまた絶品なのです。

12月23日

23 しわーし

267 / 365

ハイビスカスの花言葉

沖縄の街中を歩いていると、ハイビスカスの種類の豊富さに驚かされます。八重咲でフリフリのお花があったり、風鈴のように垂れ下がっているお花があったり。赤色、黄色、白色、ピンク色、花のフチだけ色が違うものなど、ハイビスカスの園芸種は、世界で5000種を超えると言われているそうです。1日だけ花を咲かせる1日花ですが、日当たりの良い場所では、次々に花を咲かせます。

花言葉は、「繊細な美」「新しい恋」。花の色別にも花言葉があり、赤色は「勇敢」、黄色は「輝き」、ピンクは「華やか」、白色は「艶美」。沖縄在来のハイビスカスは、園芸種と一線を画し、赤色一色で、沖縄の言葉でアカバナー→71/365と呼びます。

ハイビスカス愛好家は多く、見慣れないハイビスカスの品種を見たら、家主に「この品種は何?」と聞いて、ハイビスカス談義に花を咲かせることもよくあります。

24 | しわーし

12月24日

268 / 365

クリスマス絵本LOVE

クリスマスイブの夜にすることといえば、チキンやケーキを食べることと、もう一つ、それはクリスマス絵本を読むこと。いつの間にか増えていったクリスマス絵本。数えてみると、15冊以上ありました。日本語の絵本はサンタクロースやプレゼント、ツリーにまつわるお話など。洋書のクリスマス絵本は仕掛け絵本が多いです。100年以上前にニューヨークの新聞社の社説が絵本になった『サンタクロースっているんでしょうか?』(中村妙子訳、東逸子画、偕成社刊)は、目に見えないものを信じることの素晴らしさを伝える名作。「目に見えないことを大切にする」沖縄の精神性とも深く通じているように思います。

クリスマスイブの夜、ふかふかのベッドの中で、遠い異国のクリスマスの過ごし方や、それぞれのクリスマス物語に思いを馳せ、想像力の翼を広げてくれます。

25 しわーし

沖縄でホワイトクリスマス？

沖縄でクリスマス気分を存分に楽しめる場所が、実はリゾートホテル。高級なリゾートホテルが気軽に行ける距離に数多くあり、どのホテルも広いロビーやラウンジに大きなクリスマスツリーを飾り、毎年工夫をこらしたデコレーションや、クリスマスイリュミネーションで楽しませてくれます。ホテル内のレストランでは、シェフこだわりのクリスマスメニューを楽しめ、予約制のクリスマスケーキもすぐに売り切れになるほど大人気です。

ある年、クリスマスにリゾートホテルに泊まったことがあります。テラスのジャグジーで遊んでいると、泡だらけになって、違った意味でのホワイトクリスマスになって大笑いしました。ホテルに泊まってもサンタさんは来てくれるのか、子供たちは心配していましたが、翌朝、枕元にプレゼントが届いていました。

26｜しわーし

12月26日

270 / 365

海と風から生まれる布

西表島で紅露工房を営む石垣昭子さんは、紅露やフクギなどを使った八重山地方の染色技術を、現代に蘇らせた染織家です。染料は島に自生する植物を使い、糸の素材は糸芭蕉も苧麻も絹も全て自家栽培。昭子さんの仕事の90%は糸作りです。芭蕉が育つまでに3年以上、繊維をはいで、糸を作って染めて、機織りは最後のご褒美のような静かな時間。昭子さんは手仕事の中にこそ、「植物と人間の、精神的なコミュニケーションがある」と言います。「赤ちゃんのような肌触り、切り口から汁が滴る感覚、輪層の模様の美しさにうっとりする。それが楽しいのよ」。そして、歳月をかける布作りの仕上げは、布を海に浸す「海ざらし」です。島の海と太陽、風がたっぷりと織り込まれた、しなやかな風合いの布が生まれます。「私たちの仕事の90%が、目に見えない仕事。見えない仕事がいいものを作る」

27 ｜しわーし

芸術とは、今日をどう過ごすか

忘れられない旅の思い出があります。それは、秘境の中の秘境の集落、西表島・船浮を訪れた時、船浮荘のオーナー池田米蔵さんが、シンメー鍋で炊いてくれたタケノコがあまりにもおいしかったこと。そして、楽しそうに炊いていた姿を思い浮かべるたびに、「毎日をクリエイティブに暮らすこと」の大切さを思い出すのです。アメリカの作家ヘンリー・デヴィッド・ソローは、2年2ヶ月に及ぶ自給自足の生活を描いたノンフィクション文学の最高傑作『ウォールデン 森の生活』（1854年、ティックナー・アンド・フィールズ社刊）の中で、「最高の芸術は、その日の生活を高めることにある」と言いました。沖縄とアメリカ、場所は違えども、共通することはとても多く、人生の先輩たちの「暮らしの哲学」にふれるたび、一杯のお茶、雲の流れ、葉っぱの上のひとしずくに想いを寄せます。さあ、今日という1日を最高の芸術に。

28｜しわーし

12月28日

272 / 365

人づきあいのコツ

黄金言葉

馬や乗（ぬ）てぃ知りよ
人（ちゅ）や交際（ひら）てぃ知り
一人（ちゅい）交際（びれい）びれい
浮世（うちゆ）渡（わた）ら

（詠み人知らず）

意訳

「馬のよしあしは乗ってわかるように、人も付き合ってみないとわかりません」。世間の評判で良いとか悪いとか言われていても、いざ付き合ってみると、「こんな人だったんだ！」と驚くことがあります。また、長年仲良くしていても、ちょっとしたことで距離が離れてしまうことも。あまり決めつけることなく、「気軽に」「気長に」人付き合いをすることがコツのようです。

12月29日

29 ｜しわーし

273
/
365

真面目VSテキトー

スーパーの店頭で新年の飾り物を見ていたら、そばにいた60歳前後ほどの女性に声をかけられました。「あなた、今日は29日だから、絶対に飾っちゃダメよ。飾っていいのは明日30日。31日に飾ると、ご利益も一夜限りって言われているから、31日もダメ。必ず、明日飾るのよ」。偶然隣り合わせた人に、こういったことを教わることがよくあります。29日は「二重苦」と発音して縁起が悪いからだそうで、外から見る沖縄は、「てーげー」（適当）なイメージがありますが、意外と真面目で、決まり事を守っている人もとても多い（しがらみで息苦しくなっている人もいるほど）。

しきたりや伝統を守るか、てーげーでいくか。人によって、分野別にも大きく異なり、振れ幅がとても大きい。そこにあるのは、「何を大切に生きているか」という人生観。そこにまた沖縄の魅力が隠されているような気がします。

30 ｜しわーし

12月30日

274 / 365

流れ星にお願いし放題！

日本列島の南に位置し、赤道に近い沖縄では、南十字星やカノープス（南極老人星）など、他の地域では見られない星座が数多く見られます。世界共通で決められている星座の数88個のうち、沖縄の八重山地方で見られる星座は、なんと84個！　光が少ない郊外や離島に行けば、天の川も流れ星も高い確率で見ることができるので、願い事もし放題です。

天の川のことを「ティンヌカーラ」、北極星のことを「ニヌファブシ」と呼び、民話や古謡の中には星や月にまつわるお話や歌詞が数多く残されています。星をたよりに航海をして、稲の苗植えや稲刈りも、星座の動きを目安にしてきました。

星を眺め、星と共に暮らしていた私たちの先祖。星を眺めていると、どこか悠久の時の流れと繫がるような、懐かしい気持ちになるのかもしれません。

12月31日

31 | しわーし

275 / 365

詫びと感謝は最大の祈り

大晦日は、一年を振り返り、詫びと感謝をする日。自然と足は海に向かい、水平線の向こうのニライカナイ→227/365に手を合わせます。祈りに詳しい喜瀬慎次(きせしんじ)さん→279/365は「誰でもどこでもできる徳積みが、命に詫びと感謝をすること」だと言います。

「救いやお願いを求める前に、まず詫びと感謝。どこでもすぐできなければ、祈りの意味がない。形式ではなく、大事なのは、心なんです。拝みごとを、形式・決まりばかりに振り回されて、面倒だとか、仏壇行事の押し付け合いとかをしていたら、上から見ているご先祖様は悲しいよね？　火の神(ヒヌカン)だって、塩と水でいい。一番の供養は思い出してあげること。それが徳積みになって、守護神との結びつきも強くなります。毎日、詫びと感謝で手を合わせていると、一日を優しく過ごせる。顔つきが変わる。人柄が変わる。周りが変わる。人生が変わります」。

1 そーぐゎち

1月1日

276 / 365

初日の出スポット

あけましておめでとうございます。お正月のしめ飾りを森の妖精→291/365に注文していたら、クリスマスを過ぎても届かない。「いつ届く?」と連絡すると、「え? 新正月にほしかったの? 旧正月前に送る予定だった」と返事がきたことがありびっくり。それほど、新正月より旧正月が大切な沖縄。ですが、初日の出だけは新正月の方が盛り上がります。「どこに見に行く?」と誘い合って、人気の初日の出スポットは大賑わい。有名所は、水平線から朝陽が昇ってくる東海岸に多くあります。沖縄本島の最北端「辺戸岬」や、本島中部の4つの島々(浜比嘉島、平安座島、宮城島、伊計島)、海中道路、南部の知念岬公園など。いつもはコバルトブルーの海を見ることが多いですが、朝陽で黄金色に輝く海は幻想的で、パワフルなご来光そのもの。また、勝連城城跡や座喜味城跡など石垣の上から見る初日の出も、歴史的風情があって、ロマンに浸れます。

2 ｜そーぐゎち

277
/
365

カリーをつける

「カリーつけに行きますね！」。品の良い先輩女性たちから初めてそう言われたとき、意味がわかりませんでした。カレー？　なわけない。調べると、漢字では「嘉例」と書き、景気づけに行くという意味でした。彼女たちは私の出版記念パーティで、琉球舞踊とお琴を披露して、華やかに盛り上げてくれました。パーティの時だけではなく、新しい商品を作ったときにも「カリーづけに」と大量買いしたり、誰かの門出の際にも、「カリーづけに」とお祝いを持ってきてくれたり。誰かのための「カリーづけ」を喜んでしてくれます。「呼び水」という日本語があるように、先に望むものを差し出すと、返ってくる、返報性の原理のようなもの。また、演奏したり踊ったりするのは、「音開き」の効果も。空間をお祝いの音で満たすことで、空間も人も幸せのシャワーを浴びることができます。「カリーづけ」。習慣づけたいすてきな伝統です。

森の聖地、大石林山(だいせきりんざん)

我が家の初詣は、沖縄最北端にある「大石林山」。国立公園、観光地でありながらも、沖縄最大の聖地です。約2億5千万年前に海の中で形成された石灰岩が、地殻変動によって隆起。さらに数百万年をかけて風雨によって侵食された奇岩や巨石が林立する不思議な光景が広がっています。この一帯は、琉球開闢の祖アマミキヨ→20/365が創造したといわれる伝説の場所。沖縄では「安須杜(あすむぃ)」と呼ばれ、森の中に50ヶ所以上ある御願所(ウガンジョ)(お祈りをする場所)には、今もユタや霊能関係の人がお参りにやってきます。

「人々が心静かにできる場所を作ろう」と、30年以上かけて整備した園内には、4つのトレッキングルートがあります。ガジュマル・森林コース、奇岩・巨石コースなど、どれも20~40分で歩けます。暦や人生の区切りの時に入山すると、祈りの森の圧倒的なパワーを受け取れます。→279/365

279 / 365

聖地の番人

聖地の森「大石林山」→278/365の番人とも言えるのが、大石林山の所長、喜瀬慎次（きせしんじ）さんです。「1990年代、僕が開発の準備を任されたとき、ここはジャングルで、御嶽（うたき）に通じる細い道があるだけだった」。森の中で泊まり込みで整備していくうちに、ここが琉球最大の聖地であることに気づきます。本当にここを開発していいのか、迷った時に相談したのは、神人（かみんちゅ）である母と先輩でした。「慎次、この仕事は断れないよ。やりなさい」と言われ、亡くなった上司からも、「ここを祈りの場所にしてくれ」と遺言を受け取り、30年かけて、今の大石林山を作り、守り続けています。

「必要以上の開発はしない。多くの人が迷い、救いを求めてくる。指導者も霊能者も迷っている。自然崇拝は、どんな宗教も受け入れる。宗教の垣根を超えて、みんなで平和を祈る場所。それこそが、琉球の心です」と語ります。

5 ｜そーぐゎち

1月5日

280 / 365

「掃き清める」ことの意味

長女を産んだあと、数ヶ月、竹富島→360/365の友人宅で養生滞在をさせてもらった時期がありました。朝はいつも、シャーシャーという掃き掃除の音で目が覚めました。それは、近所のおばあちゃんだったり、おじさんだったり。「家の前を朝一番で掃除して、道行く人が気持ちよく歩けるように」との思いやりからでした。逆に、掃除をしていないのは、とても恥ずかしいことなのだそう。玄関まわりだけでなく、周辺の道も掃き浄めるのがマナーで、これは他の離島でも共通ルールとしてあるようです。当時、「産後だから無理しなくていいよ」と友人は言ってくれたけれど、楽しく掃き掃除をさせてもらいました。朝一番に、掃き掃除をすると、心も浄められ、いい一日になるような気がします。星のや竹富島→57/365でも、庭の箒目付け体験を通して「掃き清める」ことの意味を学べます。

6 ｜そーぐゎち

281 / 365

火を焚きなさい

冬になると、週末が待ち遠しくなります。週末に待っているもの、それは焚き火の時間です。普段から、焚き火用に枯れ葉や木の枝、段ボールをためておいて、週末の夕暮れ時から、木を折ったり、薪を準備したりして、焚き火の準備をします。大人には泡盛やホットワインを、子どもたちには炙って食べられるウインナーやマシュマロを用意したら、準備完了！ バーベキューほどがんばらず、火をおこして、パチパチとし燃える火を楽しむだけの焚き火が、気軽に楽しめてリラックス効果大！

詩集『火を焚きなさい』（山尾三省著、野草社刊）にこんな一節があります。

「火を焚きなさい。火がいっしんに燃え立つようになったら　そのオレンジ色の炎の奥の　金色の神殿から聴こえてくる　お前達自身の　昔と今と未来の不思議の物語に　耳を傾けなさい」

健康を祈る餅、ムーチー

旧暦12月1日（地域によっては8日）は、ムーチー（月桃の葉で蒸したお餅）の日。沖縄中がゲットウの爽やかな香りに包まれます。ご近所の、78歳のセツコさんのお宅へ行ったら、ちょうど娘さんとムーチー作りの最中でした。用意されていた月桃の数、なんと200枚！　そんなに作るの？と驚くと「みんなにあげていたら、やー（家）に残るムーチーはないよー」と笑っていました。「あい、そろそろ、できあがるころさ～」と向かった先は、屋外のシンメー鍋がある調理場。蓋を開けると、ゲットウの香りがふわーーっと広がり、ムーチーはバッチリモチモチ。健康祈願、子どもの成長祈願が込められています。みんなの幸せを祈りながらムーチーを作って配るのが何より楽しいよ」とセツコさん。「福を分け与えることが幸せ」なんて、なんてすてきなんでしょう。ムーチーの日は、おばぁたちの大きな愛にも包まれます。

283 / 365

神の島　浜比嘉島（はまひが）2

浜比嘉島→27/365は、琉球神話「アマミキヨ伝説」の舞台となることから、「神の島」と呼ばれています。なぜ、どのようにして受け継がれてきたのか？　琉球史研究家の上里隆史先生が丁寧に教えてくれました。「沖縄では、古くから、水平線の向こうにニライカナイ（あの世）があると考えられてきた。そこを共通認識として、沖縄各地でそれぞれにアレンジされた祈りの文化、世界観がある。その流れの中で、東に位置する浜比嘉島は、周りからも神聖化されるようになった。また、地元の信仰では、アマミキヨは海の向こう（横）から来たのに対して、琉球王国は、神々は天（上）から降りてきたとも記されている。この違いもどちらが正しいのか？　神は本当にいるのか？　という話ではなく、沖縄では古くからそう伝えられてきた。そして今も、神の島として根づいている。この視点が歴史学的にとても面白いんです」。

9 | そーぐゎち

1月9日

284 / 365

よんなーよんなー

「よんなーよんなー」は、沖縄の言葉でゆっくりゆっくりという意味。待ち合わせ時間に間に合いそうになく、「ごめん！遅れる！」とメッセージすると、多くの友人たちは「よんなーよんなー、安全運転でね」と言ってくれます。

また、事が思うように進まなくて悩んでいたり焦っていたりするときも、「よんなーよんなー」が合言葉。誰かに言ってもらえると、ハッと気づいて、そうだった、ゆっくりいこうと、気持ちが楽になります。

そうは言っても、船や飛行機の出発時間は、よんなーよんなーしているわけにもいかないので、「あわてぃはーてぃ」（慌てながら）しながらも、時間に間に合わせようと急ぎます。「あわてぃはーてぃ」も、なんだかとっても音の響きが独特で可愛いですよね。

10 | そーぐゎち

上品な味、白身魚のマース煮

マースとは塩のことで、マース煮は、塩と泡盛だけで作る魚料理のこと。沖縄の魚は淡白と言われがちですが、このシンプルな料理法で食べると、沖縄の魚の上品な美味しさに舌を巻きます。

《簡単な作り方》

1 白身魚のウロコを取り、内臓を取り出す。エラも切り取って、水で洗い、水気をふく。
2 両面に1本ずつ切れ目を入れる。豆腐は食べやすいサイズに、ショウガは薄切りにする。
3 フライパンに、水、泡盛、塩、ショウガを入れて、煮立ったら白身魚を入れる。
4 煮立ったら蓋をして、弱火で10分ほど煮る。
5 豆腐を入れて、しんなりしてきたら出来上がり！

※野菜・薬味を入れると、彩りがさらにきれいになります。

オードブル文化

大人数で集まる機会が多い沖縄では、オードブルを頻繁に注文します。大手チェーン店のスーパーやお弁当屋さんにも、清明祭（シーミー）→10/365や旧盆→135/365の時期になると、オードブルのチラシが貼られ、ポスターには重箱料理の写真がドドーンと掲載されています。

沖縄風の重箱（三枚肉とカマボコ、コンニャクなどが並べられ伝統的なメニュー）から、揚げ物が多めのオードブルが一般的です。

最近増えてきたのが、マクロビオティックの野菜中心のオードブル。フレッシュで無農薬の島野菜や、大豆ミートを使ったミートボールなどが盛り付けられ、エディブルフラワー→28/365で飾られたオードブルは見ても食べても美味しい。

伝統かカロリーか、おしゃれでヘルシーか、メンバーや行事ごとに変えるのも楽しみのひとつです。

12 そーぐゎち

眠り草、クワンソウ

5人に1人が悩んでいると言われるほど、現代日本の国民病とも言える不眠症。そんな不眠症の救世主とも言えるのが、沖縄の特産品の一つでもあるクワンソウです。クワンソウは、沖縄で「憂いを忘れ、眠りを誘う」眠り草と知られています。

オレンジ色の花をおひたしや天ぷら、酢の物にして食べたり、シャキシャキの茎を炒め物や煮物に入れたり、葉を乾燥させてお茶にして飲んだりと、広く活用されています。元気に働き、遊ぶためにも良質な睡眠は必要不可欠。

寝つきが悪い時や、疲れがたまっている時に、意識して食べたい食材です。

沖縄では、眠いことを「ニーブイ」もしくは「ニーブイカーブイ」とも呼ぶため、クワンソウは、ニーブイ草とも呼ばれています。

13｜そーぐゎち

1月13日

288 / 365

絶海の孤島、南北大東島

那覇空港から小型プロペラ機で東へ約70分。360キロ、その間ずっと海しかない、太平洋のど真ん中に、南大東島と北大東島があります。東の彼方にある島という意味で、別名「うふあがりじま」と呼ばれています。ここは、他の沖縄離島のイメージとは全く違う場所。周囲が環状丘陵地を形成し、中央が窪んで盆地状となっているため、白砂のビーチはなく、「釣り竿をたらすと、マグロが釣れる」と言われるほど、断崖絶壁に囲まれています。明治時代に、八丈島の開拓団によって入植されたため、相撲や神社など、日本の伝統に沿ったお祭りや風習が数多く残されています。

初めてこの島に降り立った時の感動たるやありません。圧巻の大自然と開拓の遺跡、希少で絶品！な魚の数々、島人のおもてなしに感激しました。絶海の孤島で、こんなに豊かな歴史が育まれてきたこと、人間の生命力に感動する島です。

14 | そーぐゎち

289 / 365

エコアイランド宮古島

沖縄の観光産業の課題として、オーバーツーリズム（自然環境や地元の人の生活に悪影響があること）があります。宮古ブルー→47/365の海で知られる宮古島市が、この問題を解決するために作ったのが、観光客に配る「エコパスポート」です。

本物のパスポートに似たデザインの冊子の中には、サンゴ保全のための「ノータッチマナー」（サンゴに触れない、サンゴの上を歩かない）や、サンゴに優しい日焼け止め→143/365の推奨、気づいたらゴミを拾うワンハンドクリーンアクションなどのお願い事が書かれています。

様々な環境保全活動を通して、「エコアイランド宣言」をしている宮古島市。「宮古ブルーを千年先まで」。みんなの願いです。

15 | そーぐゎち

1月15日

290 / 365

砂浜でアーシング

元気になりたいとき、心を穏やかにしたいとき、海へ行きます。海へ行って、裸足になって、サラサラの砂の上をゆっくりと歩くと、足の裏にあたる、砂の感触がとても気持ちがいいのです。「天然のリフレクソロジーよ」なんて言って、友人たちにも薦めてきました。

昨今、裸足で大地を歩くことを「アーシング」と呼ぶそうです。冷蔵庫や洗濯機に電磁波・静電気を逃がすためのアースがついているように、人間もアーシング（グラウンディング）をすると、身体の中の余分な電気を放出できる効果があるんだとか。

海風に吹かれながら、アーシングをしていると、悩んでいたことも、「まあ、いっか！」と思えるようになるから不思議。身体も気持ちも軽くなります。

291 / 365

森で暮らす喜び

沖縄本島北部の山々が連なる地域を「山原（ヤンバル）」と呼びます。ヤンバルの暮らしは、森との共存。海辺の暮らしとは趣が少し違ったすてきな暮らしがあります。私が森の妖精と呼んでいる友人・大城琴紀（おおしろことき）さんとお仲間の女性たちは、草編みの名人。クバやアダン、月桃（げっとう）、マーニなどの植物を使って、スルスルと玩具やカゴ、ホウキ、リースなどを編んでいきます。民具作りの材料は、枝も葉っぱも木の実も根っこも、すべて森の中。意気揚々と森に入って、宝物を手に戻ってくる様は、まるで冒険から帰ってきた少女のように目が輝いています。

草編み仲間の女性たちは、介護や子育て、仕事、家事の合間に作っている人が多く、「忙しい暮らしの中で、草を編む時間が、何よりの癒しになるのよ」と琴紀さんは言いました。森の水、空気、季節の花々、木々の緑が、静かな喜び、深い癒しを与えてくれます。

17 | そーぐゎち

1月17日

292 / 365

宮古島まもる君

宮古島で大人気スターといえば、宮古島まもる君です。宮古島警察署管内の道路に設置されている警察官型の人形の愛称で、インパクトの大きさ、不気味さ、見様によっては美形?と口コミで有名になりました。

管内には20基ほどのまもる君がいて全員兄弟。全て手作りなので、顔は少しずつ違い、女の子の「宮古島まる子ちゃん」までいます。時々「人事異動」があり、別の場所へ移ることもあります。

振り込め詐欺防止の活動に出動したり、1日税務署長を務めたり、お菓子や玩具のキャラクターになったりと、まもる君を見ない日はありません。事件も多く、台風で行方不明になったり、車の衝突事故に巻き込まれたり。それでも市民が一体となって修理をしたり、市長がまもる君のお見舞いに行ったりと、まもる君にまつわるドラマがいっぱい。宮古島まもる君の動向に、今後も目が離せません。

18 ｜そーぐゎち

293
/
365

一生うちの子プロジェクト

沖縄県は、犬・猫の殺処分数が過去に全国ワースト1になったほど、捨て犬・捨て猫問題が深刻です。ヤンバル（沖縄本島北部）に捨てられた犬・猫が、ヤンバルクイナなどの希少動物を襲う被害も深刻化しました。そこで、沖縄県は、捨て犬・捨て猫をゼロにする「一生うちの子プロジェクト」を始動。捨て犬・捨て猫の防止と、適正な飼育の普及啓発活動、行政機関による保護犬・猫の収容期間の延長、動物保護団体による譲渡会の推進などに力を入れました。結果、２０２１年度の犬・猫の殺処分数は２５１匹。ピーク時の１９９６年度の２万４２５７匹の１００分の１になりました。

我が家も、譲渡会で保護犬を引き取り、一緒に暮らしています。家族の誰かが泣いていたらかけよって涙を舐めたり、兄弟喧嘩の仲裁をしたり。動物の優しさ、可愛さにいつも救われています。一生うちの子。大切な家族の一員です。

19 | そーぐゎち

1月19日

294 / 365

クシャミの後の合言葉

クシャミをしたら、日本人は「失礼しました」、英語圏では周りの人が「Bless you」（神のご加護を）と声をかける習慣があります。沖縄では、周りの人が「クスケー！」と言います。その意味を初めて聞いた時、本当にびっくりしました。なんと！「ウンチを食らえ！」という意味なんです！　なんでそんな言葉？と思いますが、そこには深い背景がありす。沖縄ではクシャミをすると、魂（マブイ）が一緒に飛び出すと言われていて、魔物（マジムン）が大好物のマブイを狙って寄ってくるんだとか。そのため、マジムンの嫌いなウンチをぶつけることで、魂を守ることができるそうです。なんとまあ、衝撃的！

移住者の私は「クスケー」はドキドキして未だに言いこなせないけれど、生粋のウチナーンチュは、誰かがクシャミをしたら、即座に「クスケー！」と言い放ちます。かっこいい！

20 | そーぐゎち

295 / 365

釘一本まで愛しい家

100歳のおばあちゃんが住んでいた家で、リノベーション工事をしていた時のこと。年配の男性が真顔で、腕を組んで、その様子をじっと見ている。恐る恐る「どうかしましたか?」と声をかけると、「この家、壊すんですか?」「いえ、壊さないで、直しているんですよ」と答えると、顔が急に優しくなって、「あぁ、よかったー。このやー(家)はよ、僕も一緒に建てたんですよ。島の男たちみんなで建てたわけさー」と教えてくれました。その話を隣の家のおじいちゃんにすると、「オレが船で建材を運んだんだよ」「え? そうなの?」「船長だったって、言ったさ~」。私の営むブックホテル「浜比嘉別邸(はまひがべってい)」→364/365は、浜比嘉島という橋で渡れる離島にあります。1997年に浜比嘉大橋ができるまでは完全なる離島でした。だから、資材運びも、建てるのも全て自分たちの手で。だからこそ、板一枚、釘一本までが愛しくてたまりません。

苦しみの水と、楽しみの水

黄金言葉

苦（くる）しみぬ水（みじ）ん
飲（ぬ）でぃぬ後（あとぅ）からどぅ
楽（たぬ）しみぬ水（みじ）ん
味（あじ）や知（し）ゆる

（詠み人知らず）

意訳

「苦しみの水を飲んで（人生の苦労を経験して）、初めて、本当の喜びや楽しさの水の味を知ることができます」

お年寄りの含蓄あるお言葉を聞くたびに、この黄金言葉を思い出します。笑顔の裏に、どれだけの苦労があったか。深い悲しみを乗り越え、今を笑顔で楽しく暮らしているその生き様に頭が下がります。

22 ｜そーぐゎち

楽しいファーマーズマーケット

沖縄には市町村や島ごとにファーマーズマーケットがあり、それぞれが実に個性豊かでおもしろい！　食材だけでなく、加工品コーナーもお宝がいっぱい。薬草の茶葉や、旬のフルーツを凝縮したソース、島野菜をたっぷり使ったピクルスや加工品など、お土産や贈り物にも喜ばれますし、キッチンの戸棚に入れておくと、ピンチの時に何度助けられたことか。ファーマーズマーケットは、沖縄の大自然と、この地に暮らす人たちがコラボレーションした、ものづくりの博覧会のような場所です。

「身土不二（しんどふじ）」という言葉があります。「身体と土地は切り離せない関係だから、身近なところで育ったものを食べるのがよい」という意味。毎日の暮らしの中で、地元の食材を選ぶのはもちろんのこと、旅先ではすぐにその土地のものを食べるようにしています。旅先の土地に身体がなじみやすくなります。

298 / 365

岡本太郎が恋した沖縄

「それは一つの恋だった」と言うほど、夢中で沖縄に通い続けた、日本を代表する芸術家、岡本太郎氏。著書『沖縄文化論　忘れられた日本』（中央公論新社刊）で、沖縄での体験が、激しく情熱的な筆致で綴られています。「私を最も感動させたものは、意外にも、全く何の実体も持っていない、といって差し支えない、御嶽（うたき）だった」

　日本でも海外でも祈りの場所には、大きな鳥居や神殿がつきものですが、沖縄では、一見、ただの空き地に見える場所が、重要な御嶽であることがあります。それを「何もないことへの眩暈（めまい）」と表現しました。「清潔で無条件である。だから逆にこちらから全霊をもって見えない世界によびかける。神聖感はひどく身近に、強烈だ」「神は自分の周りにみちみちている。静寂の中にほとばしる清冽な生命の、流れの中に共にある。あるいは今、踏んで行く靴の下に、いるのかもしれない」

1月24日

24 ｜そーぐゎち

299
/
365

沖縄のお正月は3回ある?

沖縄にはお正月が3回あります。1つ目が新暦のお正月。2つ目が旧暦の旧正月。3つ目が十六日祭(ジュウルクニチー)です。

・新暦のお正月／新年のカウントダウンや、おせち料理を楽しみ、本土のお正月と似た雰囲気。

・旧正月／旧暦の習慣が色濃く残るウミンチュが多い地域で大切にされています。糸満市や浜比嘉島などでは、港の漁師船に大漁旗が掲げられ、風にはためく光景は圧巻です!

・十六日祭／後生(グソー)(あの世)のお正月。宮古・八重山地方などではお墓の前に親族が集まり、ご馳走を食べます。

お正月が3回もあるため、年賀状やお歳暮は旧正月までに間に合えばいいかなと思ったり、子どもたちは何回もお年玉をもらおうとしたり。3度のお正月を上手に楽しんでいます。

25 | そーぐゎち

1月25日

300 / 365

火の神（ヒヌカン）をお迎えする日

祈りの島・沖縄で、日常的に手を合わせるのが火の神です。火の神は台所に祀られており、家の火の神様。家全体を厄災から守り、家族の健康を守ってくれる神様です。毎朝、起きたら、火の神に挨拶をして、毎月旧暦1日（新月）と15日（満月）には、詫びと感謝の拝みをします。祈りに詳しい喜瀬慎次（きせしんじ）さん→279/365は「火の神にすぐにお願いをしてはいけないよ」と釘を刺します。その理由は、「台所は何をするところか？ 命を殺生する場所です。自分が他の命を殺しまくっておいて、お願いだけするなんて、そんな道理は通らない。まずは殺生をした命に詫び、感謝をすること。おかげ様で今日も生かされています、と手を合わせて成仏してもらう。悪魔を神様に変える儀式。それが祈りです」。旧暦12月24日は、火の神が天に上がる日（ウガンブトゥチ）、旧暦1月4日は火の神を天からお迎えする日（ヒヌカンウンケー）。心を込めて拝みます。

1月26日

26 そーぐゎち

301 / 365

闇夜の必要

深夜にふと目が覚めて、海に面したテラスに出ると、西の空に浮かぶ月の光で、海が黄金色に輝いているということがよくあります。どんな芸術にも勝る自然の美しさに手を合わせて、これ以上欲するものは何もない。「この美しさがあればもう何もいらない」。そんな敬虔な気持ちでいっぱいになります。なのに、朝起きて、子供を学校に送り、仕事をして、家事をしてなんてしていると、月の美しさなんてすっかり忘れて、世のよしなしごとに心は振り回されているのです。そうして、夜になって、また、月光に輝く海を見て、「ああ、そうだった」と、大切なことを思い出す、そんな毎日の繰り返し。

ずっと明るいと気付けないことがある。だからこそ闇夜はとても大切です。都市化が進み、ネオンが光る街が増えましたが、いつまでも沖縄の夜に、暗闇があることを願います。

27 そーぐゎち

1月27日

302 / 365

お庭で作るガーデンブーケ

お花屋さんで買ってきたお花もすてきですが、お庭で育てたお花をアレンジしてお部屋に飾るのも、豊かさを感じる幸せな習慣。ある日のブーケは、ユウナ、ラベンダー、スペアミント、プルメリア、ローズマリー。可憐で素朴、ハーブの香りがあふれる、野趣に富んだガーデンブーケとなりました。派手さはないけれど、自然で優しい雰囲気をお家全体に満たしてくれます。

気候が暖かい沖縄では、頻繁にガーデンツアーが組まれるほど、ガーデニングを楽しんでいる方が多くいらっしゃいます。特に離島や、都市部から離れた地域の方ほど、近所にお花屋さんがない分、お花やハーブを自分で育てて楽しんでいる方が多い。「すごくきれいに咲いたからお裾分け」とガーデンブーケを持っていったり、花の苗をあげたりもらったり。こんな小さなやりとりの中に、大きな幸せがあります。

1月28日

28 | そーぐゎち

303 / 365

お麩が主人役のフーチャンプルー

沖縄ではお麩はメイン食材。スーパーでは車麩が山積みにされており、フーチャンプルーは大人気メニューです。

《簡単な作り方》

1 車麩を手で大きめに割って、たっぷりのお水で戻し、軟らかくなったら、水気をぎゅっと絞ります。

2 ボウルに卵を割り入れ、めんつゆを混ぜたら、お麩を入れて、卵液を吸水させます。

3 フライパンに油を引いて、強火で**2**を炒めます。ふんわり火が通ったら、取り出します。

4 ニンジンやキャベツなど好きな野菜を千切りにしてフライパンで炒めます。

5 **4**に**3**のお麩を入れ、醤油を回し入れたら出来上がり!

※お麩は車麩を使いましょう。水気をしっかり切るのが、美味しく仕上がるポイント。

29 | そーぐゎち

1月29日

304 / 365

ザトウクジラが帰ってくる！

沖縄の冬の楽しみといえば、野生のザトウクジラが沖縄の海に帰ってくること。ザトウクジラは、夏の間は、餌が豊富なアラスカやシベリアに生息し、冬になると暖かいハワイや小笠原諸島、沖縄など、南の海を回遊し、出産と子育てをします。ホエールウオッチングツアーが盛んな慶良間(けらま)諸島では、ボートに乗ってわずか数十分でザトウクジラの群れに出会えます。ダイナミックなジャンプや潮吹きの飛沫を浴びたり、赤ちゃんクジラがお母さんと泳いでいる様子を見たり。海を生きる野生動物の息吹に大感動。ただし、季節は冬の海。船はかなり揺れるので、船酔いには要注意です。

船が苦手な人は、眺望の良い岬や展望台にもクジラスポットがあります。多くのクジラ好きが足繁く海に通い、「今日は見れた？」「遠いけど、今あのあたりにいるよ」など、クジラトークで盛り上がります。

30 ｜そーぐゎち

お金の助け合い制度「模合（もあい）」

「今夜は模合がある」と言えば、家でも会社でも「それは大事だから、早く行きなさい」と言われます。模合とは、親戚や友人、同級生、経営者仲間などで毎月集まって決まった金額を集め、順番に毎月メンバーの誰かがもらうという仕組みです。元々の目的は、仲間内でのお金の助け合いでしたが、今はみな、「毎月の飲み会が何よりの楽しみ」と口を揃えます。相場は毎月5千～3万円ほど。利息が付いたり、毎月10万円～100万円の模合があったり、保証人制度があったりと種類も様々。お金を管理する模合帳や模合アプリまであります。

私がお邪魔させてもらった地域の女性経営者の模合は、毎月1万円を集金。そのうち4千円は旅行資金として積み立て、6千円がもらえる仕組み。「今日は誰がもらって帰るねー?」「ジングヮー（お金）は使わないと！ 天国には持っていけないよー」なんて冗談と笑い声が飛び交っています。

31｜そーぐゎち

1月31日

306 / 365

美容の味方、グァバジュース

美容の専門家の友人とカフェに入った時、彼女がコーヒーや紅茶ではなく、グァバジュースを注文したのが印象的でした。理由を聞くと、「グァバは、ビタミンやカロテン、食物繊維、ポリフェノールと、女性の味方の栄養素がいっぱいなの。それに、他のジュースに比べて、グァバジュースは店によって当たり外れがあまりなくどこも美味しい。だから私は外食の時は、いつもグァバジュースなの」とツルツル美肌の笑みをたたえて教えてくれました。その後、私も真似をするようになったのは言うまでもありません。

グァバは島の言葉でバンシルー。7〜8月頃に実がなり、完熟すれば皮ごと食べられます。モモやリンゴ、バナナなどのフルーツをミックスしたような亜熱帯独特の不思議な味で、熟すとムスクのような甘い香りが漂います。

ANCIENT CASTLE OF NA-GA-GUS-KO, LEW CHEW.

琉球王国とはどんな国?

2月1日は琉球王国建国記念の日。琉球王国は、1429年から1879年までの450年間、中継貿易を軸に東アジア有数の交易国家として栄えました。絵本『琉球という国があった』(上里隆史著、福音館書店刊)では、陸の面積ではなく、海洋国家としての「海域史」の視点から、繁栄の謎が解き明かされています。他にも上里先生の20冊以上の著書の中には、琉球時代のニート対策や環境問題なども記されており驚きの連続。国の官僚試験では、薩摩藩の無理難題をどう切り抜けるかという問題が出たり、ペリー来航時にはあの手この手で追い返したり、外交手腕が凄い! 薩摩藩の人が、琉球を「武器を持って戦わず、知恵を持って戦う国」と評したとも記録されています。

洗練された知恵と文化が花開いた王国は、明治政府による琉球処分にて終焉を迎えました。

神の島、久高島

久高島に行く前の夜はいつも胸の高まりが止まりません。久高島は、琉球女神伝説のアマミキヨ→20/365が降り立った場所として有名な神の島。南城市の安座真港から船でたったの10分。なのですが、そこはもう沖縄本島とは全くの異世界。立ち入り禁止の御嶽(うたき)や、後生(グソー)(あの世)に続く一本道、遊泳禁止の神聖な砂浜など。この島をめぐる時は、島のガイドさんや専門家に案内をお願いすることを強くオススメします。何も知らずに島を巡れば、一本道も砂浜も、深い意味を知らずに帰ることになるからです。芸術家の岡本太郎氏は、久高島についてこう書いています。「一見平凡で、何の変てつもない。しかしこの世界には、生と死とが静かに立ち向い、共棲している」「久高島の印象は今度の旅行でも、私にとって最も神秘的であり、その気韻はまだ私のからだの中に響き続けているのである」(『沖縄文化論』→298/365)

2月3日

309
/
365

思い出のレモンケーキ

レモンケーキは他のケーキとだいぶ違う。何が違うかというと、親族が集まる行事で手土産に持っていくことがとてつもなく多いのです。手土産といえば、レモンケーキ!というほど、旧盆やお正月などが近づくと、スーパーではレモンケーキが山積みになって売られています。

コロンとした形がかわいいレモンケーキは、しっとりとした生地の上に、シャリッとした口当たりのレモン味のアイシングがかけられて、程よい甘さと酸味が絶妙なバランス。基本的な形や大きさは同じですが、甘さや、レモンの風味、アイシングの量などは、メーカーによってさまざま。家族ごとにお気に入りのメーカーをご贔屓にしていることも。

「レモンケーキを食べると、お墓参りでおばぁからもらったことを思い出す」と話すウチナーンチュも多く、家族の思い出がいっぱいに詰まっています。

日本一早い、桜の季節

日本本土で桜の時期といえば4月頃ですが、沖縄の桜シーズンは2月頃です。まだ寒い時期に咲く桜は、日本本土のソメイヨシノとは異なる種類の、寒緋桜(かんひざくら)。中国、台湾、東南アジアに自生する桜で、濃い紅色の花を下向きに咲かせます。花言葉は「あでやかな美人」。寒い冬空に、鮮やかに咲く桜の花は、気持ちを明るく、春への期待を膨らませてくれます。

県内では桜の名所があちこちにあり、ひと足早い桜祭りが開催されます。もとぶ八重岳(やえだけ)桜祭り、名護(なご)さくら祭り、今帰仁(なきじん)グスク桜まつりなど。日本本土のように桜の下にゴザを敷いて宴会をする習慣はありませんが、真っ青な海や古いお城跡を背景に、ピンク色の寒緋桜が映える風景は沖縄ならでは。この時期には、県産の桜が入ったビールが販売されたり、桜の花びらを泡盛に漬けたり、美味しいお酒も登場。日本本土と同様に、桜の開花状況をワクワクしながら見守ります。

南国アロマオイルの香り

暮らしの中で、沖縄産のアロマオイルが大活躍しています。朝起きたら、爽やかな柑橘系のシークヮーサーやカーブチーの香りで目覚め、昼の休憩時間には、ウッディ系のリュウキュウマツの香りを嗅いで森林浴気分に、夜やお客様が来られる前には、空間の殺菌浄化作用があるティーツリーの香りを焚くことも。専門店には、沖縄ならではの植物を使ったアロマオイルが豊富にあり、お祈り用の「御嶽（うたき）」という商品もあるほどに多種多様。

香りには一瞬で気分を変えてくれる大きな力があります。その理由は、視覚や聴覚の情報が、理性や知性を司る大脳新皮質に届くのに対して、嗅覚は、直感や感情を司る大脳辺縁系にダイレクトに届くから。

視覚情報が多いと、感情や情緒が乏しくなり、ストレスを感じやすくなるそうです。脳をバランスよく働かせるためにも、香りはとても効果的です。

伊江島（いえじま）タッチューがかっこいい！

沖縄でかっこいい山といえば、伊江島タッチュー。山と言っても、海抜172mの岩山で、伊江島では「城山（グスクヤマ）」、島外の人からは伊江島タッチューの愛称で知られています。タッチューとは、沖縄の言葉で「先がとんがっているもの」という意味です。

伊江島は、沖縄本島の本部港からフェリーで30分の離島。この山の、何がいいのかといえば、その姿がかっこいいのです。伊江島タッチューは、海の向こうの、沖縄本島側からも、烏帽子（えぼし）のような背の高いシルエットがよく見え、「ああ、今日も伊江島タッチューが見えるね」と思うだけで、不思議な安心感をもらえる存在。日本の富士山と似た感覚かもしれません。

伊江島タッチューは登山も楽しい。麓から頂上までは、健脚で約20分。頂上に登ると、島の全域と本部半島が一望でき、沖縄随一の絶景パワースポットです。

7 にんぐゎち

ムーンビーチでハワイ気分

青い海にヤシの木、ゆったりと流れる時間など、共通点が多いハワイと沖縄。中でも、沖縄でハワイを感じるホテルといえば、ザ・ムーンビーチ　ミュージアムリゾートです。ロマンティックなホテル名は、夜間飛行のアメリカ人パイロットが月光に輝く三日月形の白浜を見つけたことから名付けられました。

オーシャンフロントのロビーに着いた瞬間、優しく温かい島風がゲストを迎えてくれます。圧巻なのが、低層4階建て吹き抜けの天井から垂れ下がるポトスのグリーンカーテン。ロビープールには熱帯魚も泳いでいます。1975年に創業した建物は、「光と風の建築」と評判になるほど、自然との融合が素晴らしい。グリーンカーテンに囲まれた階段を上がり、客室への長い廊下を歩くと、ハワイのローカルレストランや、ホノルル空港の雰囲気に似た、緑と光あふれる亜熱帯特有の空気感に包まれます。

逃げ場所の必要

ご近所で時々顔を合わすと、島の昔話を教えてくれるおじさんがいます。その話がいつも面白い。「(あなたのおうちの)おじいちゃんとおばあちゃんは本当に仲が良かったよ。うちが夫婦喧嘩した時、奥さんがあなたのお家に逃げていったこともあったなあ。次の日、おばあちゃんに怒られたよ。夜遅くに夫婦喧嘩するんじゃないって」「逃げ場所があっていいですね」「いいえ、離島に逃げ場所なんてないよ。まだ橋がかかっていなかったから。行くところがないから、おばあちゃんを頼ったんだろうな」「なんでそんなに怒らせちゃったんですか?」「いや、別に何もしていないんだけど」「いや、絶対、何かやらかしたでしょ?」なんて話で盛り上がります。夫婦喧嘩をしたら、近所に逃げ込んで話を聞いてくれるおばあちゃんがいるってなんて心強いんでしょう。逃げ場所って、本当に大切です。

2月9日

315 / 365

手作りバスソルト

お風呂にパラッと入れるだけで、極上のバスタイムを演出してくれるのがバスソルト。香りや効能、塩の種類などが無数にあります。購入もできますが、実は意外と簡単に自分で作れることをご存知でしょうか？

作り方は、天然塩、ハーブ、アロマオイルを入れて混ぜるだけ。私は沖縄の天然塩とヒマラヤの岩塩、自宅で採れたハーブをドライにしたもの、そこにラベンダーやローズマリー、カモミールなどのアロマオイルを入れるのがお気に入り。塩のミネラル成分がデトックス効果を高めてくれ、アロマオイルとハーブの香りで、一日働いてくれた脳も一気にリラックスできます。

ハーブやアロマオイルには肌への刺激が強いものがあるので、使用する際はご注意を。

10 にんぐゎち

2月10日

316 / 365

トイレの神様

人から妬まれたり、恨まれたり、悪口を言われることを、「口難（くちなん）」と呼びます。口難を受けると体調が悪くなったり、不幸が続いたりするため、そんな時は、口難外し専門の神様にお願いをすると助けてくれると言われています。それが「フール（トイレ）の神様」。

フールの神様は善悪を選り分け、悪いものを消し去ってくれると言われています。口難を受けた人が、フールの神様に「口難外し」の儀式をすると、口難を出した人に倍になって返っていくそうです。しかも本人だけじゃなくて子どもなどの家族にも災いが及ぶと言われています。だからこそ、口難を言うときは、それだけの覚悟をもってじゃないと、言ってはいけないよという教えが受け継がれています。私も口難外しの儀式をしてみたことがあります。やってみて一番思ったことは、自分自身も、人にたいして良い言葉を使おうという自戒の念でした。

2月11日

317 / 365

悪口を良い口に直す儀式

口難外しの儀式は夕刻にします。トイレはキレイに掃除をして、フタを開けます。

1 塩、米、お酒をお盆にのせて、便座の前に置く。

2 グイス（祝詞）を唱える。（例）「（住所）（生まれ干支（名前）、優れたフールの神様、私に口難がきているようです。人からの妬みや悪口は、このフールから流してください。和をもって暮らしますので、口難は良い口に変えてください。私も良い心で相手を迎えます」

3 左手で塩、米、酒をつまみ、おしいただいて（顔の前面の上方に捧げ持つ）、便器に入れて流す。

4 酒に浸した中指を額に三回あて、塩をつむじに擦り込む。

5 残りの塩、米を器に入れ、酒を注ぐ。玄関に持って行き、ドアをあけて、「口難を受けられないから、出した人に返します」と言って、勢いよくまく。

6 「この戸は良い心だけ通します」と唱え、閉める。

2月12日

318 / 365

旅とは、他の日と火

国内旅行の旅行先として不動の人気を誇る沖縄。その理由はどうしてでしょう？　人はなぜ、何を求めて旅に出るのでしょう？「旅」の漢字の語源を知っていますか？　諸説ありますが、旅は、「他の日々」を過ごすことから「他日」、または、「他の土地や家の火で調理したもの」を食べることから「他火」と言われているそうです。旅先でその地域で暮らす人の生活を垣間見ることで、自分が暮らす日常の当たり前や常識が崩され、別の土地で暮らす人も、自分と同じように悩んだり笑ったりして生きていることを知ります。

人との出会いから、孤独感が癒されたり、深い安心感と勇気をもらったり、世界の広さを体感できる旅。沖縄旅行が人気の理由は、かつて独立国家だった琉球を旅することでいつもの日本本土の日常とはかなりギャップのある「他の日々」や「他の火」に触れられるからかもしれません。

13 にんぐゎち

319 / 365

カラフルな島ジェラート

アイスクリームと並んで、みんなが大好きなジェラート。一般的なアイスクリームよりも乳脂肪分が低く、さっぱりとした甘さなのが魅力的です。沖縄には、離島も含めて各地に、地元の素材を使った人気のジェラート屋さんがあり、いつもお客さんで賑わっています。

ショーケースの中には、目が覚めるようなピンク色のドラゴンフルーツ味、爽やかな黄色のシークヮーサーやパイン味、ミネラル豊富な黒糖味、パステルイエローの島バナナ味、きれいな紫色の紅芋味、夏の王様、オレンジ色のマンゴー味など。店内にずらりと並んだ色とりどりのジェラートを見ているだけでも、その地域の名産が何かを知ることができます。

着色料ではなく、天然の食材の色をそのままに使ったジェラートは、目も舌も身体をも喜ばせてくれます。

14 | にんぐゎち

2月14日

320 / 365

星空観測のヒント

空気が済んでいる冬は星を楽しむのにぴったりの季節。岬や展望台、公園、ビーチなど、街の明かりが少なく、視界が開けたところがおすすめです。ハブが出てきそうな草むらには入らないようにしましょう。また、月明かりの影響が少ない新月の時期が、星空観察には適しています。満月の夜は、月光浴を楽しめます。

持っておくと便利なもの

・虫除けスプレー
・懐中電灯（行き帰りの足元を照らし、何かあった時のために持っておくと安心です）
・レジャーシート（アウトドアチェアでも大丈夫ですが、寝転がる方が、リラックスした状態で、長時間星空を楽しめます）
・星座早見盤、双眼鏡
・飲み物やお菓子（星空時間がより楽しくなります）

梅の花の香る人

黄金言葉

梅（んみ）ぬ花（はな）しゅらしゃ
忘（わし）ららん如（ぐとぅ）に
肝（ちむ）しゅらしゃ持（む）たば
人（ひとぅ）ぬ飽（あ）ちゅみ

小禄按司朝恒（おろくあじちょうこう）

意訳

「梅の花の清楚で優しい香りが忘れられないように、美しい心を持てば人に飽きられることはありません」

「しゅらしゃ」とは可憐、かわいい、奥ゆかしいという意味。肌寒い春の空に、白く清楚な花を咲かせ、ほのかに甘い香りを漂わせる梅の木。梅の花の香りのような人こそ長く愛される、と歌う近世歌人の感性に惚れ惚れします。

16 ｜にんぐゎち

2月16日

322 / 365

思い通りにならない時は

黄金言葉

花（はな）に山嵐（やまあらし）
月（ちち）ぬ夜（ゆ）に霞（かしみ）
かかるちりなさどぅ
浮世（うちゆ）さらみ

仲吉親方

意訳

「美しく咲いた花が山嵐に散るように、夜空の月に霞がかかるように、思い通りにならないことは世の常である」

思うようにならないと落ち込むこともあるけれど、花も月も仲間だと思えば、心強くなります。そして、花は散る姿も美しいし、霞がかる月も美しい。思った通りにならなかったからこそ出会える景色もあります。

曲がった先の絶景

車を運転している時、歩いている時、路地を曲がった時に、ふと目に入る海や空が、ハッとするくらい、美しい色をしていることがよくあります。

朝に夕に、子どもを学校に送る行き帰りに、海の表情がコロコロと変化していたり、住民が集う公園から慶良間諸島を眺められたり、レストランやカフェはもちろんのこと、歯医者さんや病院の窓からの景色も海を望む絶景だったり。沖縄での暮らしは、絶景の連続です。

毎日のことですから、それを当たり前ととるか、毎瞬、海の色、空の色に感動しながら暮らすのかで、暮らしの充実度が変わってきます。

絶景に出会う日々の瞬間瞬間に、この世界の美しさ、地球の美しさに感動する毎日です。

18 にんぐゎち

2月18日

324 / 365

枯れない愛、サボテンの花

亜熱帯気候の沖縄では、家庭や職場で、サボテンを栽培している人を多く見かけます。栽培が楽ちんで助かるし、何より、夜中に咲くサボテンの花の美しさといったら、言葉では言い表せないほど魅惑的。サボテンは、種類によって色や形は違えども、トゲトゲした外見からは想像もつかない、驚くほどに独創性たっぷりで、魅力的な花を咲かせるのです。しかも、夜の誰も見ていない時間帯にひっそりと咲くのだから、たまらない。ツボミが膨らんできて、今夜あたりかな?とお庭に出てみると、開花!なんて夜は感動ものです。

咲いた花を愛でながら、財津和夫さんの名曲「サボテンの花」を歌い、泡盛を飲みます。花言葉は「燃える恋」「枯れない愛」「秘めた情熱」「尊敬」「風刺」など。花を咲かせるためには、水やりを控える休眠期と、太陽の日差しが重要で、春から夏にかけて咲く種類が多いそうです。

2月19日

19 | にんぐゎち

325 / 365

水割りのおいしい作り方

泡盛の水割りは、完成時にアルコール度数が12〜15度くらいに作ると、飲みやすいと言われています。

《泡盛と水の割合》

アルコール度数30度の場合 泡盛3：水7
アルコール度数25度の場合 泡盛4：水6

《作り方》

1 グラスに氷を入れて、マドラーでかき混ぜ、グラスを冷やします。解けにくい大きめの氷がおすすめ。
2 泡盛をグラスの半分ほど（割合に合わせて）注ぎます。
3 マドラーでかき混ぜ、氷と泡盛をなじませます。
4 水を加えて、さらに混ぜたら出来上がり！

硬水、軟水、氷の種類でも味が変わります。シークヮーサーを搾ったり、梅干しやワサビ、ショウガを入れたり、アレンジも無限大です。ジュースを入れると飲みやすい泡盛カクテルになります。

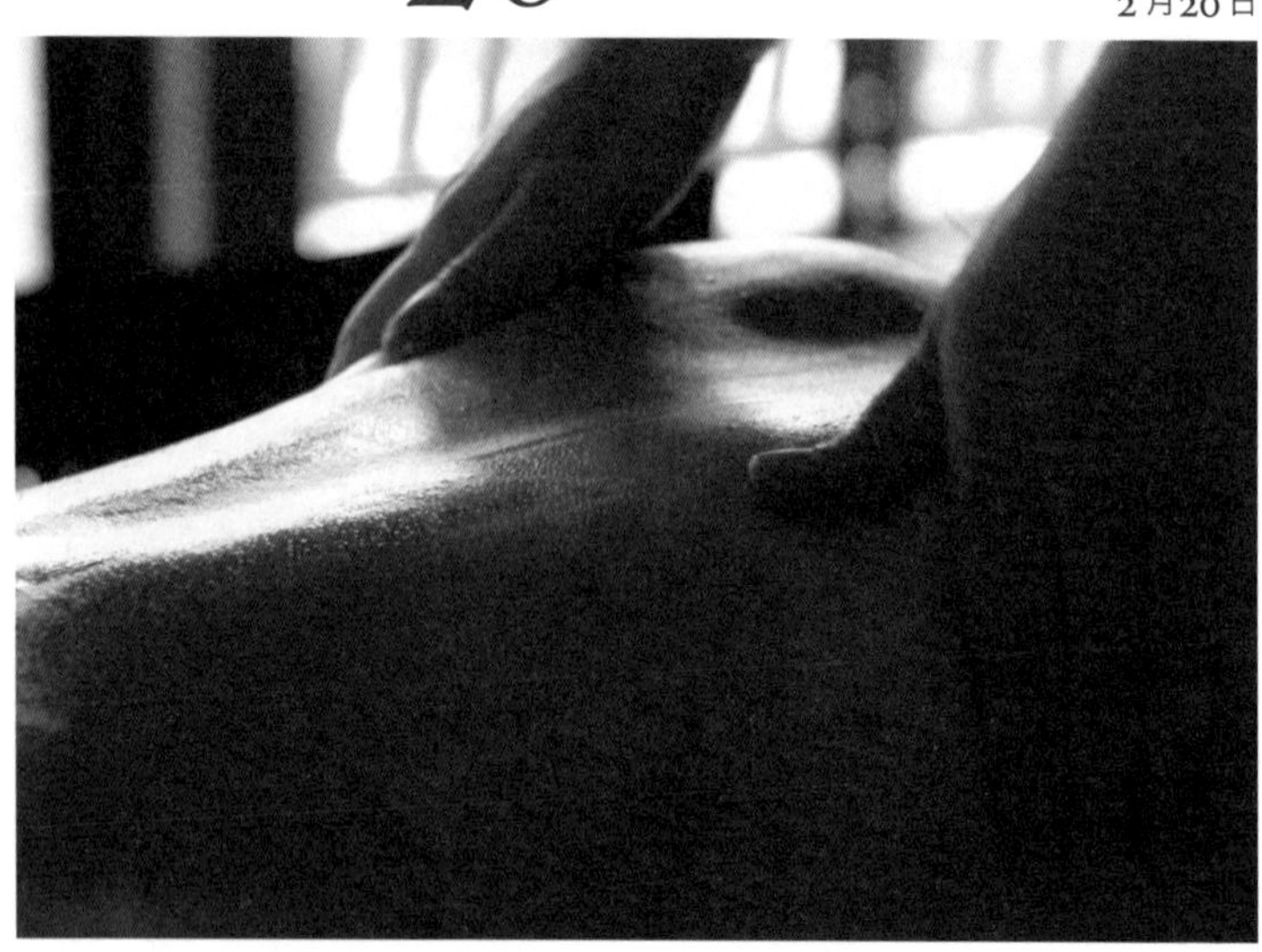

ちゅらさんの秘密

沖縄では、キレイな人のことを「ちゅらさん」「ちゅらかーぎー」と呼びます。南国ですから小麦色美人も多いのだけれど、驚くことに、「肌白くてキレイだねー！」と思わず言ってしまうような色白美人も多くいらっしゃいます。色白美人の友人は、いつもバッチリと日焼け対策をしているし、小麦色美人たちも、日焼けはするけど、日焼け後の肌のお手入れは欠かさないし、健康的な笑顔は何よりの輝きを放ちます。

実は、沖縄は美容効果の高い素材がたくさんある宝の島。抗菌作用の高いゲットウ、ビタミン豊富なハイビスカス、毛穴の洗浄効果が高いクチャ、保湿効果の高いアロエやモズク、他にも、海洋深層水、アセロラ、ウコン、シークヮーサー、ニガリ、マンゴー、黒糖などなど、数え上げたらキリがないほど。スーパーやデパートには、沖縄産の化粧品コーナーがあり、私もいつもここで買っています。

2月21日

21 にんぐゎち

327 / 365

まるでお祭り！な結婚式

沖縄の結婚式と言えば200人、300人を超える招待客の多さや、新郎新婦の友人による余興が本格的なこと、琉球舞踊やエイサーなどの伝統芸能が披露されるなど、お祭りのように、とにかく賑やか！　両親の友達の友達までも呼ばれることがあるため、新郎新婦が知らない人が披露宴会場に座っているというのもよくある話。大人数すぎて、会場の後ろの席用に、壇上の映像が映し出されるスクリーン設備があったり、円卓では、乾杯の挨拶の前から、泡盛を開けて宴会が始まっていたり。初めて見たときは驚きました。ご祝儀は一人1万円が相場。人数が多いため、結婚式が黒字になるのも当たり前。

週末は、沖縄中のチャペルがフル稼働。近所のビーチやホテルに遊びに行くと、ウエディングドレス姿の新婦さんを見かけることも度々あります。その度に、祝福のシャワーを一緒に浴びられて、幸せな気持ちになります。

22 | にんぐゎち

2月22日

328 / 365

精霊の住む木・ガジュマル

精霊キジムナーが住む木、幸せを運ぶ木、多幸の木、などと称されるガジュマルは、沖縄を代表する樹木の一つ。道路や公園に自生するガジュマルは、子どもたちが木登りをして遊んでいたり、木陰でお年寄りがおしゃべりをしていたり。暮らしの中になくてはならない、心の拠り所のような存在です。また、沖縄各地に、樹齢何百年と推定されるガジュマルの大木が生きています。

ガジュマルの大きな特徴は、枝や幹から伸びる気根。これが地中に伸びて太くなると幹となります。ヒゲのような気根を無数に垂らして、幹を増やしていくことから、ガジュマルは「歩く木」とも呼ばれています。

我が家の近くにも、大きなご神木のガジュマルがあり、お客様を案内するたびに、多くの方が「すごいパワーで圧倒される」と涙を流し、感動を与えてくれます。

なんの修行？ 海水温熱

「アツい！ アツいーーー！ これ、なんの修行なんですか!?」。初めて、沖縄発祥の民間療法「海水温熱」を受けた時、熱さに弱い私は叫びました。

海水温熱とは、海水で蒸したホットタオルを使って、足のつま先から頭のてっぺんまで全身を温める療法のこと。基礎体温を上げ、免疫力や自然治癒力を呼び覚ましていきます。代表の嘉数富男（かかずとみお）さんは、泣き言を言う私に、「海水のミネラル成分が、熱によって体の奥まで届きやすくなる。基礎体温が上がることで、病気の予防になるんだよ」と諭してくれました。身の上相談に乗ってくれたり、冗談を言ったり。チャーミングなお人柄に一度でファンになりました。約20年前、嘉数さんが海水温熱を考案し、営業ゼロでファンがファンを呼び、弟子入り希望者が後を絶たず、今では全国に支店があります。サウナとも温泉とも違う沖縄発の「海水温熱」療法。ぜひご体験ください。

沖縄の切手コレクション

郵便を送るときは、できるだけ沖縄ならではの「ふるさと切手」を貼っています。

郵便局では、沖縄をイメージした切手が数多く販売されています。海や夕陽、ジンベエザメやクマノミなどの海の生き物、ハイビスカスなどの花や植物、マンゴーやパイナップルなどの果物、空手や三線（さんしん）、エイサーなどのスポーツや芸能、首里城などの遺跡群、離島をテーマにした切手など。期間限定販売の切手シートが多いため、気に入ったらすぐに購入を。ただし、近年、切手の値段が、82円から84円と値上がりしたように、昔購入した切手だと、値段が足りない場合があるのでご注意を。2円切手など、追加で何円の切手が必要かは郵便局で教えてくれます。「郵便物が届いたとき、受け取った人が、切手を見るだけで、沖縄の風を感じて喜んでくれたらいいな」。そんなことを思いながら「ふるさと切手」を貼っています。

ワイワイ楽しい味噌作り

「冬の寒い日に、女性たちが集まって、一緒にお味噌を仕込むのが、島の習わしなの。輪になって仕込みながら、いろんなおしゃべりをするのが楽しいのよ」。そんな習慣を、宮古島の料理名人チヨちゃんから聞きました。沖縄には島大豆と呼ばれる在来種があり、昔は各離島・各地域で大豆が栽培されて、島豆腐や島のお味噌を作るのが当たり前でした。戦後、輸入品が増えたことで、島大豆は希少なものとなってしまいましたが、お味噌を作ることは今も女性たちが脈々と続けて残してきている大切な食文化。スーパーやお土産品店にも、地元の女性たちが作ったお味噌が種類豊富に売られています。

我が家のお味噌も、お友達とわいわい作った自家製の味噌と、御縁ある地域や島のお味噌と、味の違いを楽しんでいます。お味噌の封を開けると、女性たちのおしゃべりが聞こえてきそうな気がします。

26 にんぐゎち

2月26日

332 / 365

春先の嵐「二月風廻り（にんがちかじまーい）」

10年ほど前、春先に離島への船旅を控えていた時、海人（ウミンチュ）（漁師）のおじさんに「二月風廻りに気をつけるんだよ」と言われました。

なんのことかと思ったら、この時期は天候が変わりやすく、海人でも天候が読めないほど、穏やかだった海が突然荒れることがよくあると言うのです。

おじさんの言っていた通り、私が乗った船は荒れに荒れて、二月風廻りの恐ろしさを、身をもって実感しました。

この時期は船だけでなく、ダイビングでの海難事故も発生しやすくなります。そのため、旧暦2月頃に吹くこの風は、「台風に次ぐ嵐」と呼ばれています。

自然への畏敬の念を、改めて教えられる季節風です。

27 | にんぐゎち

2月27日

333
/
365

ひまわりの花言葉

ひまわりって、どうしてこんなに人に元気な気持ちをくれるんでしょう? ひまわりの花といえば、夏のイメージが強いですが、沖縄では春夏秋冬、あちこちで咲き誇り、目を楽しませてくれます。畑の保全と、地域活性化の役割を担っていて、ひまわり畑を通り過ぎるたびに、オレンジ色の花のビタミンカラーに元気をもらいます。

日を向いて成長するから向日葵。花言葉は「あなただけを見ている」。神話によると「太陽に恋をして実らなかった悲しみの涙から咲いた花」なんだそうです。だから、太陽の方向を向いて咲いているんですね。

ひまわりの色は、イギリスでは「魔除けの色」「身をまもる色」、アメリカでは「愛する人の無事を願う色」とも言われているそうです。

28 にんぐゎち

2月28日

334 / 365

島のプラネタリウム

満天の星空を楽しめる沖縄の暮らし。それでも、時々プラネタリウムに遊びに行くと、いつも新しい発見があり、とても豊かな時間が過ごせます。ドーム状になった天井のスクリーンに光を映し出し、星空を楽しむことのできるプラネタリウム。席に座って、照明が暗くなったら、星空天体ショーの始まりです。沖縄には３つのプラネタリウムがあり、今の季節に見える星空の解説や、星にまつわる民話や伝統など工夫に富んだ上映を楽しめます。

沖縄にあるプラネタリウム

・那覇市牧志駅前ほしぞら公民館（駅前にあるので、アクセスが便利。録音ではなく、生解説がとても嬉しい）

・海洋博公園海洋文化館プラネタリウム（沖縄美ら海水族館の近く）

・いしがき島星ノ海プラネタリウム（２０１９年にオープン。３Ｄドーム映像を体験できます）

1 ｜さんぐゎち

子どもが大好き、ニンジンシリシリ

ニンジンシリシリは、シリシリ器（穴のあいたスライサー）で、きんぴら状の細切りにしたニンジンを、炒めて卵でとじた料理。炒めることでニンジンの甘みが引き立ち、卵でとじることでニンジン独特の臭みがおさまります。彩りがキレイで、子どもも食べやすい野菜料理です。

《簡単な作り方》

1 ニンジンの皮をむき、シリシリ器でおろす。シリシリ器がない場合は、包丁で千切りに。

2 油で熱したフライパンに**1**を入れ、全体に油がまわったら、だし汁を入れて蓋をして、弱めの中火で蒸す。

3 水分が飛んで、しんなりしてきたら、塩胡椒で味を整え、とき卵を回し入れたら出来上がり。

※ツナ缶やポーク缶などを入れると、食べ応えのある一品になります。

2 さんぐゎち

3月2日

336/365

明日、不発弾処理をします。

「明日、解体工事現場内において発見されました不発弾1発（米国製5インチ艦砲弾）の安全処理作業を行います。処理作業中は、避難対象区域外への避難をお願いします。」こういった案内放送は今でも、沖縄でよく聞きます。対象区域が住宅地内であることもしょっちゅうで、近隣住人は指定される集会所や小学校などに避難しなければなりません。

1945年に始まった沖縄戦で、地中には1万本以上の不発弾が残されました。戦後、負の遺産として残った不発弾の事故で犠牲になったのは700人以上に及びます。下水道工事中に爆発事故が起こり、3歳の子どもが爆風で犠牲になったこともありました。全ての不発弾を処理するのに、あと70年。専門家は「沖縄の戦争はまだ終わっていない。この責任は、本当は誰が負うべきなのか？」と話します。3月2日は、「不発弾根絶を祈念する日」です。

337/365

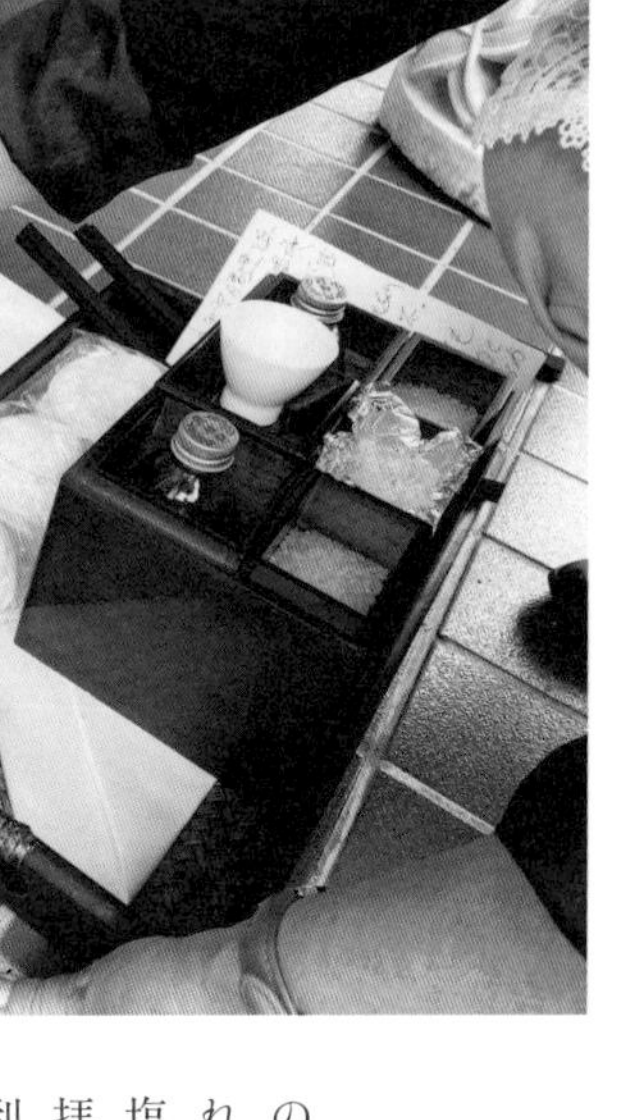

憧れのマイ・ビンシー

魔女の7つ道具ならぬ、沖縄での拝みごとの道具のセットが、ビンシー（瓶子）です。木箱に納められた御願のセットで、中には、お線香、徳利、盃、塩、米、小皿などが入っています。家の中での屋敷拝みにも、屋外でのお祈りにも使え、持ち運びが便利な拝みセットです。

このビンシーセットがかっこよくて、憧れていたのですが、なかなか持つことができませんでした。ビンシーはその家の実印とも言われていて、貸し借りが禁止されている、家々で大切に受け継がれていくもの。私も夫も本土出身なので、受け継ぐビンシーがなかったのです。

夢が叶ったのは、沖縄暮らし14年目にして、浜比嘉島に家を持ったときのこと。屋敷拝みや、御嶽参りを本気ではじめることになったとき、自然とマイ・ビンシーを持てる運びとなりました。天との結びつきとして大切にしています。

せつなさと愛しさと三線（さんしん）

3月4日は三線の日。県内各地で三線のイベントが開催され、三線の音色に包まれます。三線は14世紀末に中国から沖縄に持ち込まれ、琉球王国時代に宮廷楽器としての地位を確立しました。しかし、何もかもを焼き尽くした沖縄戦で三線も戦火の犠牲となります。焼け野原の戦後の捕虜収容所で、沖縄の人々は、米軍の食料缶や粉ミルクの缶を胴材に、廃棄された木材を棹に、落下傘のヒモを弦にして組み立て「カンカラ三線」を作りました。三線の音色で、自分たちを慰め、鼓舞し、戦後の混乱下を生き抜いたのです。沖縄の歴史とともに育まれた三線。今では、ユネスコ無形文化に登録された組踊や、民俗芸能、ポップスなど様々なシーンで使用されています。軽快なリズムに思わず手足が動き出したり、切ない音色に胸が締め付けられそうになったり。三線の音色が、時も場所も超えて、人々の心を結びつけます。

サンゴはクラゲの仲間？

3月5日はサンゴの日。海の中で森のように広がるサンゴは、植物？　石？　なんでしょう？　サンゴはれっきとした生き物で、クラゲやイソギンチャクなどの刺胞動物（しほうどうぶつ）の仲間です。ポリプと呼ばれる小さなサンゴ個体がたくさん集まって、全体を作っています。触手を伸ばして餌を食べつつ、サンゴの体の中には、褐虫藻という植物プランクトンが入っており、褐虫藻が光合成をすることで、サンゴは栄養をもらっています。

サンゴが生き物を指すのに対して、サンゴ礁とは、サンゴを中心とした生き物たちが長い年月をかけて作った地形のことです。沖縄の島々はサンゴ礁が隆起してできているため、沖縄のことを、「うるま」（うる＝サンゴ、マ＝島）とも呼びます。

サンゴ礁は、無数の生き物の棲家ともなっているため、美しい海の生態系においてとても大切な存在です。

感激！中高生たちの現代版組踊（くみおどり）

涙なくして観られない、鳥肌号泣ものの舞台があります。それが、うるま市の中高生たちが演じる現代版組踊「肝高（きむたか）の阿麻和利（あまわり）」。ユネスコの無形文化遺産に登録されている沖縄の伝統芸能「組踊」をベースに、現代音楽とダンスを取り入れた、沖縄版ミュージカルで、劇も演奏も踊りも全て中高生が演じます。１９９９年、うるま市（沖縄本島中部）で、地域の悩み事を解決するために始めた取り組みで、初回公演時から奇跡の連続！数々の地域づくりや教育関係の賞を受賞し、県外・海外公演も果たし、公演回数は３００回以上、観客動員数は19万人を超えています。舞台のストーリーは、15世紀琉球統一の戦乱の世で、うるま市内にある世界遺産「勝連城」の10代目城主阿麻和利の半生を描いたもの。歌（うた）三線（さんしん）や太鼓が、時に賑やかに、時に切なく響きわたり、琉球の伝統と若さがぶつかり合う、圧倒的な熱気に、涙が止まりません。

沖縄の書店事情

沖縄県内には出版社が20以上もあり、これは首都圏に次ぐ数。そして、県内書店には「県産本」という沖縄で作られている本や、沖縄に関する沖縄本コーナーが必ずあります。ただし、沖縄県の一人当たりの書籍雑誌購入額は、年間１万１２８０円と全国最下位（２０１１年出版物販売額の実態より）の数字。そのため、大手書店チェーンのジュンク堂書店が、２００９年に沖縄に初出店する時、「大丈夫？」と心配する声も多く聞かれたそうです。結果は予想を裏切り、大成功！ジュンク堂那覇店は、ジュンク堂グループ内で上位の売上（過去5位以内）実績を上げています。成功の理由を同店のエグゼクティブ・プロデューサーの森本浩平さんは「1万5千冊を超える沖縄本にある」と話します。本・雑誌はあまり読まないけど、沖縄の文化には興味も誇りもあるから読みたい！作りたい！残したい！という地元愛が、沖縄の本事情からもうかがえます。

おやつの代表、サーターアンダギー

家庭おやつの代表格、サーターアンダギー。サーターは「砂糖」、アンダギーは「油で揚げた」という意味の沖縄風のドーナツです。

《簡単な作り方》（約15個分）

1　薄力粉（250g）とベーキングパウダー（小さじ2）をふるう。
2　ボウルに卵（3個）を溶きほぐし、黒砂糖（130g）を加えて、泡立てないように、とろりとよく混ぜる。
3　**2**に**1**の粉を少しずつ混ぜ入れ、サラダ油（小さじ2）を加える。2〜3分、生地にツヤが出るまで混ぜる。
4　生地を15等分ほどに分けて、丸く形を作る。
5　**4**を、160度の油の中に静かに落とす。弱火で約4〜5分。沈んだ底からゆっくり浮き上がり、1ヶ所がチューリップのようにパカッと割れる。
6　最後に温度を上げて、カリッと焼き色がついたら完成！

343
/
365

マインドフルネスの時間

沖縄の海や森に行くとリフレッシュできますが、ある時間を、5分以上取り入れることで、その効果を長く持続できます。その方法とは、マインドフルネス（瞑想などを通じた脳の休息方法の総称）の時間です。今、脳科学的に「瞑想が最高の脳の休息法」だと解明され、グーグル社をはじめ米大手企業が続々と瞑想を取り入れています。集中力が上がる、感情をコントロールできる、疲れや不安・イライラが消える、良いアイディアが浮かぶなどの効果があり、日本でも実践者が急増中。さらに、この休息法を自然の中で行えば効果は絶大です。

瞑想の心得がある方は、お気に入りの場所で簡単にできます。浜比嘉別邸→364/365では、浜辺の岩陰で瞑想をする「ビーチ瞑想」や、薬草茶を使った「飲む瞑想」を開催しています。大自然の中で、目をつむり呼吸を整えることで、思考と感情が整い、深い部分が満たされます。

10｜さんぐゎち

3月10日

344 / 365

家を守る屋敷御願（やしきうがみ）

家には屋敷の神がいます。その神様に感謝をするのが屋敷御願。旧暦2月と、旧盆、お彼岸明けの屋敷御願はとても大切で、それ以外にも「あ、今、したほうがいいかも」と思ったときは、絶対にしたほうがいい。手順とお祈りの型はありますが、「大切なのは決まりきった儀式ではなく、家の神様と会話をすること」と教わりました。「天の神様、地の神様、東の神様、北の神様、南の神様、西の神様、ご門の神様、床の神様、中央の神様、トイレの神様、いつもこのお屋敷をお守りくださいまして、ありがとうございます。これからも、この屋敷に魔物、病魔、他人の災いが来ませんように、どうぞお守りください」。屋敷の神様と会話をしてみると、家の中のどこに手入れが必要かも分かってきます。初心者さんは、最後に「未熟者ですので、言葉の不足や失礼はお赦しください、と言えば大丈夫」と教えられました。沖縄はしきたりも優しい！

11 さんぐゎち

小さな畑「アタイグヮー」

沖縄で、家の敷地内にある小さな畑のことを、「アタイグヮー」と呼びます。「グヮー」は沖縄で小さなものに対する愛称のようなもの。猫の額くらいに小さいという意味の「アタイグヮー」は台所の勝手口から近い場所にあることが多い。お母さんが朝食のお味噌汁を作りながら、つっかけを履いて、ネギやタマネギなどを採りに行って、収穫した瞬間に、調理されて食卓に並ぶという、その時間、数分〜数十分以内！　こんなにフレッシュな食材ってないですよね。

我が家の猫の額にも、ラベンダーやバジル、ミント、レモングラスなどのハーブから、長命草やニンジンなどの、島野菜が植えられています。生ゴミはまた畑に戻す循環のあるシステム。

暮らし方そのものが、無理をせず環境にやさしいということを実感します。

十時茶と三時茶

一日の楽しみといえば、十時茶と三時茶。10時と3時にお茶を飲んだり、お茶菓子を食べたりして休む時間です。これは畑でも、大きな会社の給湯室でも見られる日常風景で、どこにいても、10時、3時になると、いそいそと誰かがお茶の準備をはじめます。お茶のことを、ちゃーぐゎ〜（茶小）と言い、元々はさんぴん茶が多かったようですが、今はコーヒーのことも。「これ、三時茶のお供にどうぞ〜」とお茶菓子をいただいた日には、次の日の三時茶タイムがひときわ楽しみになります。

朝ごはんのあと、ひと仕事して、十時茶して、ひと仕事して、ランチして、ひと仕事して、三時茶して、ひと仕事して、晩ご飯、というリズムは、集中とゆるみとのバランスが最高。とても理にかなっていいます。スペインにある習慣「シエスタ」（お昼休憩）にも似ていますね。ただ、おしゃべりが長すぎたり、食べすぎたりには要注意。

3月13日

13 さんぐゎち

347 / 365

機能美に優れた古城

自宅のある読谷村に友人が遊びにきてくれたとき、よく連れていく世界遺産があります。それが15世紀初頭、三山時代（戦国時代）のヒーロー「護佐丸（ごさまる）」によって建てられた「座喜味城跡」。ここは「要塞としてのグスク（城）の完成形」とも呼ばれ、軍事的機能美で優れていることで有名。入り口が一つしかなかったり、迷路のような道を入っていくと行き止まりになったり、防衛の工夫があちこちにあります。ヨーロッパを思わせるアーチ型の門は、抜群の写真スポット。足元に気をつけながら、石段をのぼり、門をくぐると、そこはもう異世界。カーブの曲線が見事な石垣が360度に広がり、違う惑星にやってきたかのような感覚に襲われるのです。連れて行った友人のひとりは「こんな空を見られたことが、すごくよかった」と喜んでいました。石垣じゃなくて、空？と思ったけれど、たしかにこの空は特別かもしれません。

14 | さんぐゎち

3月14日

348 / 365

卒業式はアメの味?

卒業シーズンの3月に入ると、スーパー等で決まってお目見えするのが、お菓子のレイ(首飾り)。ハワイなどでお祝いの時に首にかけるフラワーレイさながら、キャンディやチョコレート、スナック菓子、グミ、風船などが首飾りになって売られています。これを何に使うかというと、卒業式のお祝いに、卒業生の首にかけるためのお祝いの品なのです。しかも、保育園・幼稚園や小学校だけでなく、中学生や高校生も! たくさんの後輩やお友達からお菓子の首飾りをかけられ、前が見えないくらいになる卒業生もいたりして、卒業式の会場はお菓子でいっぱい! これが沖縄で一般的な卒業式の光景だというのだから、驚きです。

ただ、最近では、「首飾りをたくさんもらえる子と、何ももらえない子に差が出てしまう」という配慮から、お菓子の首飾りやお花の持ち込みを禁止している学校もあります。

ウルトラマンの生みの親

昭和の日本を席巻した変身ヒーロー番組「ウルトラマン」の脚本を手掛けたのは、沖縄県出身の方だということをご存知でしょうか？　南風原町出身の金城哲夫さんが、第一期ウルトラシリーズを企画し、ウルトラマンの世界観の基礎を作り上げました。ウルトラセブンに出てくるキングジョーの名前は、金城さんの実父のあだ名で、ウルトラシリーズの中に出てくるキャラクター・チブル星人の「チブル」は、沖縄の言葉で「頭」を意味する言葉。創作の背景にニライカナイ→227/365の世界観が広がっているなど、ウルトラマンの脚本の根底には、沖縄の文化が随所に映し出されています。

金城さんは不慮の事故により、37歳の若さで亡くなりましたが、生前の書斎は今も「金城哲夫資料館」（写真）となって残っています。実家である松風苑（料亭）の敷地内にあり、「日本のアニメ聖地88」にも認定されました。

16 ｜さんぐゎち

3月16日

350 / 365

僕は土から生まれてきた！

北窯（きたがま）→ 43/365 の親方のひとり、松田共司（まつだきょうし）さんは「ずっと自分はなぜ、どこから生まれてきたのかがわからなかった。愛情にも飢えていた。でも、だからこそ、土に出会ったとき、そうだ、僕は土から生まれてきたんだ！」と大きく腑に落ちたそうです。そうして弟子入りしたのが、芸術家・大嶺實清（おおみねじっせい）さんでした。「古いものから学べ」という師匠の言葉を受けて、ひたすら骨董を学びました。

50年以上に及ぶやちむん人生の中で、一番大変だったことは「古陶器の持つ素晴らしさに近づけないこと。古いものには、長く使いたくなる、伸びやあたたかさ、キレがある。何百年前に作られたこの器と、自分とはなんでこんなに距離があるのか、今ももどかしい」と話します。「昔は台風が来る前に、来るぞってわかった。今は天気図を見てもどんな進路かわからない。今の時代はやはり、自然との対話が少ないのかもしれない」

351
/
365

ハートアイランド、黒島

八重山諸島にある黒島は、人口が約200人なのに対して、牛の数が3000頭を超えることから、牛の島として有名。周辺の島よりも観光客が少なく、子牛を育てる畜産業が盛んなことから牧場が数多くあり、牛が草をはむ、のんびりとした時間が流れます。島内は平坦な道が多いので、自転車で潮風を浴びながら、サイクリングすると、とても気持ちがいい。

黒島周辺の海は、八重山地方の中でも抜群の透明度。島の西側に位置する仲本海岸は、サンゴに囲まれた絶景ビーチで、サイクリングのゴールに、海に飛び込めば、生き返るほどの爽快感です。島内には、ウミガメを研究する黒島研究所や、ウミガメが産卵に来るビーチなどもあり、大自然の中でのんびりするには、ぴったりな場所。石垣島からフェリーで25分。地形がハート形をしていることからハートアイランドと呼ばれています。

18 さんぐゎち

3月18日

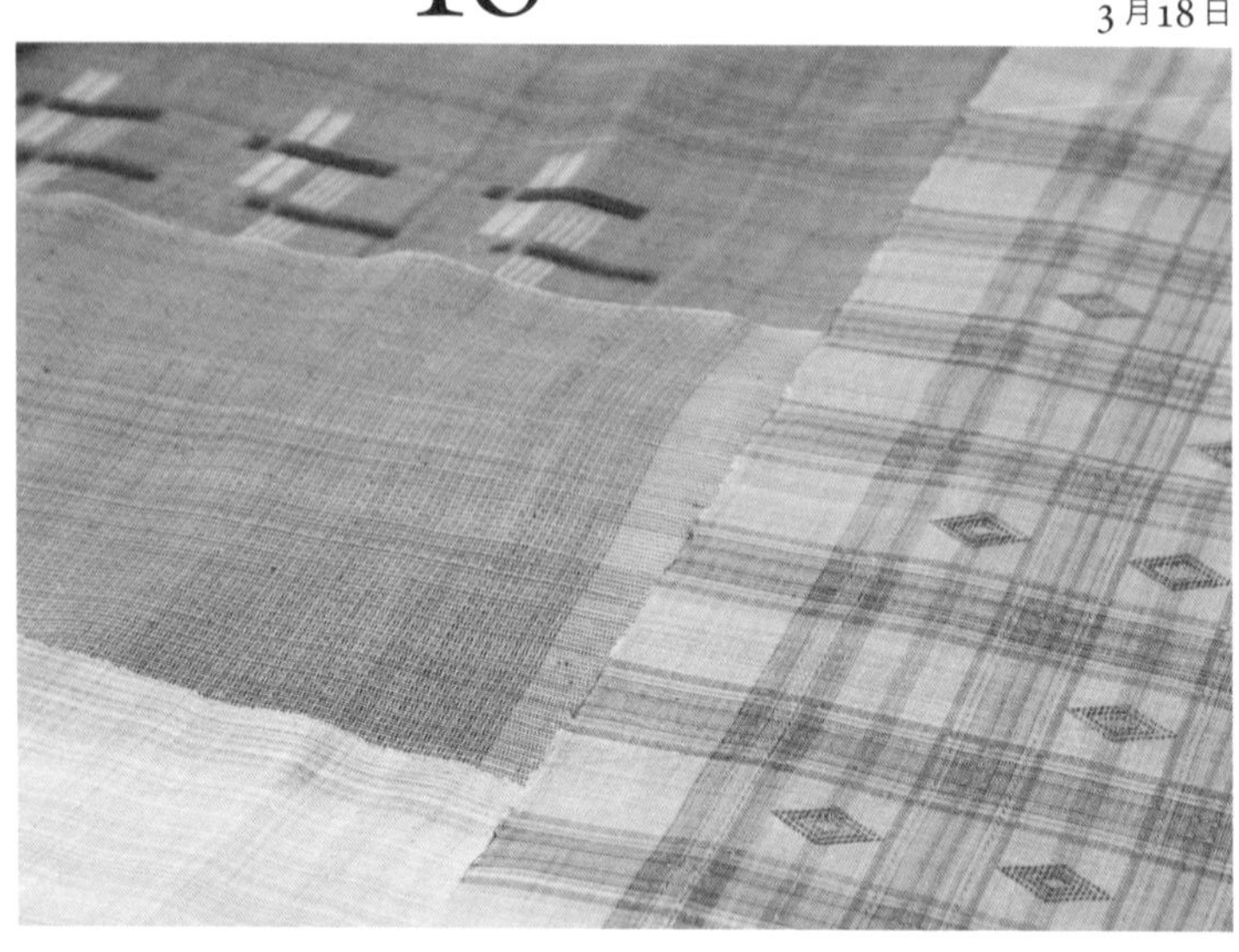

352 / 365

心急かさず、ゆっくりと。

黄金言葉

馬（んま）に鞭（ぶち）かきてぃ
肝（ちむ）急（いす）ぢするな
牛（うし）に乗（ぬ）てぃ待（ま）ちどぅ
勝（か）ちや取（とぅ）ゆる

（詠み人知らず）

意訳

「馬に鞭を当てるようにして、心を急かしてはいけません。牛に乗って、一歩一歩着実に進むことで、本当に大切なものを手に入れることができます」

ポイントは「肝急ぢするな」。自分自身の心を「急かせている」のは、他ならぬ自分。自分の心を、自分自身で穏やかにする工夫を。その先に良きことはちゃんと待っているよ、と教えてくれます。

沖縄産の牛乳選び

食品スーパーやコンビニなど、県内のほとんどのお店に、沖縄産の牛乳が流通しています。生産者が分かり、味もフレッシュで美味しい。我が家がよく選ぶのは、宮平牛乳やEM玉城牧場牛乳。「ゲンキミルク」という可愛いネーミングの加工乳もあります。石垣島では、マリア乳業のシェイクやソフトクリームも大人気。石垣島の離島ターミナル内にあるショップで飲めるので、八重山観光の際にはオススメです。

また、最近のヒットは、廃棄された牛乳瓶と牛乳パックを再利用した「にゅうにゅうびん」。宮平乳業と琉球ガラス村、le cocon のコラボ商品で、ふっくらとした丸みが可愛く、子どもの手のサイズにもぴったり。宮平乳業は、「Chi-Chi」という名前のミルクハンドクリームも展開しています。「チーチー」（沖縄の言葉で「牛乳、おっぱい」の意味）という響きも可愛いですよね。

ひなたぼっこの幸せ

「おばぁ、何しているの？」
「何もすることないから、てぃーらぶいしてるんだよ」

てぃーらぶいとは、沖縄の言葉で「ひなたぼっこ」という意味。浜比嘉島にある古民家食堂「てぃーらぶい」は、店主の中山直樹さんが、冒頭のおばあちゃんたちの会話を聞いて、音の響きも意味もとても気に入り、店名にしたそうです。てぃーらぶい。なんてのどかで贅沢な時間なんでしょう。

現代の私たちは、ついついやることリストに追われがちですが、数分だけでもいい、てぃーらぶいする時間を持てたら、どれだけ心にゆとりが持てることか。お天気がいい日は、ちょっと手を止めて、てぃーらぶい。心も身体もお日様のポカポカで満たされます。

21 ｜さんぐゎち

モズクの味噌汁

ミネラルや食物繊維が豊富なモズク→16/365は、毎日でも食べたい健康食材。味噌汁やボロボロジューシー（雑炊）、お鍋に入れても相性抜群。朝起きたときや、食欲のないとき、病気のときなどにもってつけです。

《簡単な作り方》

1 モズクを水で洗って、水気を切り、食べやすい長さに切る。
2 水と出汁を火にかけて煮立て、1のモズクと角切りにした豆腐を入れる。
3 2に味噌を溶き入れ、小口に切ったネギを加えて、出来上がり！

※塩モズクを使う場合は、水に30分ほどつけて、しっかり塩抜きをしてから使います。

22 | さんぐゎち

3月22日

356 / 365

コロナが教えてくれたこと

　2020年、世界的に大流行をした新型コロナウイルスは、沖縄でも多大な影響がありました。年間約947万人（沖縄県調べ）に及ぶ観光客が消え、高齢者の多い離島では医療体制の逼迫が深刻となりました。大変なことがあった一方、海はさらに透明度と輝きを増し、人と会って喋れることのありがたさを知りました。家にこもる日々の中で、自分の本音と向き合う時間が増えたり、土や自然と触れることの必要性に気付いたり。本当に「大切なこと」に、多くの人々が気づくきっかけにもなりました。

　こんな話があります。探検隊がアンデス山脈を登っている最中、案内人のシェルパが突如として全く動かなくなってしまった。事情を聞くと、シェルパはこう言ったそうです。「私たちはここまで速く歩きすぎてしまい、心を置き去りにしてきてしまった。心がこの場所に追いつくまで、私たちはここで待っているのです」と。

23 さんぐゎち

鏡はピカピカに！

日本の三種の神器の一つである鏡は、沖縄でも神聖で特別な存在。古来、特別な力を宿しているとされ、丁重に扱われてきました。

お米や塩のように、場を清めたり厄を祓うのに使ったり。井戸を埋めるときには、ユタさんなど専門の人を呼んで、中に鏡を入れて、水の神様を天に上げてから埋める儀式もあります。

弥生時代に、中国大陸から伝わり、副葬品や捧げ物として重宝されてきた鏡。光を反射し、邪悪なものを退け、見るもの自身の身も心をも映し出してくれるとも言われます。

だからこそ、鏡はいつもピカピカに！曇ったり汚れたりしているくらいなら、飾らないほうがいいそうです。

24 ｜さんぐゎち

3月24日

良い行いは、見えないところで

ことわざ
陰徳（いんとぅく）儲（もー）きりよー

意訳
「見えないところで、誰か（何か）のために良いことをしましょう」

　現代でも、「陰徳こそが開運の鍵」と言われる通り、沖縄でも昔から徳を積むことの大切さ、さらに陰で良いことをする「陰徳」が良しとされてきました。

　人間だもの、「少し損をしたな」とか、目に見えないところで善行を行うことに「なんだかな」と思う小さく未熟な自分が出てくることもあります。そんな時こそ、「陰徳儲きりよー」と呟けば、気持ちよく徳積みができます。

359
/
365

平和とものづくりの先に

窯焚きで、最初の火をつけるとき、北窯(きたがま)→91/365の陶工たちは、御神酒を捧げ、手を合わせて祈ります。

ウマラチキミソーリ～(生まれさせてください)

「最後は火が全てを決める。だからあとは祈るしかない。土、薪、釉薬。全てが、自然からの贈り物。僕たちは、借り物で作らせてもらっている。だからこそ、いいものを作らないと」と親方たちは口を揃えます。沖縄産の素材で共同窯を維持していくには相当な苦労があります。良質な土や天然木があった森に開発の波が押し寄せたことから、昔のように土や木が採れなくなっているのです。だからこそ、松田共司(まつだきょうし)さんは、「もっと森を守らなければならないし、沖縄の焼き物は、平和な沖縄、ものづくりの沖縄、それを超えた何かにならないといけない」と言いました。

360
/
365

うつぐみの島

島の集落が丸ごと国の重要伝統的建造物群保存地区に指定されている竹富島。赤瓦の屋根、白砂の道、サンゴの石垣…、道を歩けば、何百年も前にタイムスリップしたような懐かしい風景が広がります。

島の人たちが大切にしているのが伝統と「うつぐみ」（協力しあうこと）の心です。島の中には御嶽（うたき）が数多くあり、600年の歴史がある種子取祭（タナドゥイ）をはじめ、20以上の祭りが今も厳かに執り行われています。「うつぐみ」とは、500年前の島の偉人・西塘様の遺訓「かしくさや　うつぐみどぅ　まさる」（みんなで協力することこそ、優れて賢いこと）からきています。周囲9・2キロの小さい島だからこそ、支えあわなければ生きていけなかった厳しい歴史もありました。

祖先への敬意と島の人たちの努力が、貴重な沖縄の原風景と、伝統を守り続けています。

十五の春

沖縄には、中学校までしかない離島が多いため、離島に住む子どもたちは必然的に、中学卒業と同時に島を出ることになります。これを、「十五の春」と呼びます。生まれ育った島を出て、子どもたちは、進学先（沖縄本島や日本本土など）で寮に入ったり、一人暮らしをしたり、親戚の家に住んだり。親は子どもが外に出ても困らないように、料理や洗濯、お金の使い方など生活に必要なことを、15歳までに教えなければなりません。

南大東島の「十五の春」を舞台にした映画「旅立ちの島唄〜十五の春〜」では、大竹しのぶさんや小林薫さんが、旅立つ子どもの親を熱演。主人公の女の子を演じた三吉彩花さんの、島への感謝を込めて歌う島唄が観るものの涙を誘いました。島で子育てをしていると、「きっとこの子も、ここを旅立つ日が来る」ことを、いつも意識させられます。有限だからこそ、子どもとの時間は何よりの宝物です。

28 さんぐゎち

3月28日

362 / 365

ゆうなの花の歌

海辺や近所を散歩していると、よく道端に落ちている、かわいいゆうなの花。花を拾って、歩いていると、いつも、ついつい沖縄県民が愛する琉球民謡「ゆうなの花」（詞・朝比呂志、曲・普久原恒勇）を口ずさみます。「ゆうな」は、アオイ科のオオハマボウの沖縄での呼び名。ハワイでは「ハウ」。透き通るような薄い花びらが、優しげで可愛らしいお花です。

紅型作家の友人は、ゆうなの花をとても愛していて、娘さんの名前に「ゆうな」と名付けました。好きな理由を聞くと、「ゆうなの花は、朝はきれいなレモン色をしていて、夕暮れ時には、オレンジ色に変わるの。朝も夕方も一日を通して、可愛くて美しくて、大好き！」と言っていました。葉っぱはハートの形をしており、昔はおイモやご飯を包むなどして利用されていたそうです。その姿もかわいい！

29 ｜さんぐゎち

海の底で眠ったワイン

「サンゴの海の底で熟成させたワインを飲みませんか？」。ある日、行きつけのピザ屋さんから、こんなワイン会のお誘いをいただきました。聞けば、恩納村のサンゴ養殖場の端っこで、1年間、熟成させたワインが戻ってきたというのです。もちろん「行きます！」。当日、期待に胸を膨らませてお店へ。机の上に置かれたボロボロのワインボトルを見て、胸の高鳴りは最高潮！ ワインの栓が開けられ、感動の瞬間がきました。ひと口、口に含んでみると、とろみがあって、まろやかで優しい味。ワインクーラーで保管していた同一品種と飲み比べると、フレッシュで軽やかな赤ワインでしたので、味の違いは歴然でした。「どちらが美味しいという話ではないね」「海の中での熟成というだけで、ロマン溢れるよね」。そんな話をしながら、楽しい夜が更けました。貴重なワインのお代は、サンゴ保全の寄付金に充てられました。

30｜さんぐゎち

3月30日

364
/
365

ブックホテル 浜比嘉別邸（はまひがべってい）

沖縄に暮らし始めて、13年経った頃、初めて土地と家を買いました。編集者・記者として、沖縄中の離島を旅した私がたどり着いたのは浜比嘉島→27/365です。100歳の女性が住んでいた沖縄の伝統的な家で過ごすうちに、沖縄は私に違う風景を見せてくれるようになりました。自然音だけの静寂。樹木に守られる安心感。ひなたぼっこの幸福。漆黒の闇。何百年と続く御嶽と踊り。畑で薬草を育てて食べて肥料になる、敷地全体で巡る循環。ひとつの家がまるで小宇宙のようで。暮らしの中に祈りがある意味を、第六感として確かに感じるようになりました。この幸せや安心感を多くの人と喜び合いたくて、家を改装して、一棟貸しのブックホテル「浜比嘉別邸」を開きました。お泊まりになる方の多くが、本を読んだり、砂浜で寝転んだり、薬草風呂に入ったり。ここで過ごすことで「静かでやさしいエネルギーをもらえた」と喜んでいただいています。

3月31日

31 さんぐゎち

365 / 365

旅立ちの那覇空港

3月下旬に那覇空港へ行くと、18歳前後の子どもたちが大勢集まって、見送りをしている光景をよく見ます。大学進学や就職で、日本本土に行く子を、同級生や先輩、後輩、家族が、励ましや感謝の言葉と共に、抱き合い、別れを惜しんでいる光景は何度見ても、目頭が熱くなります。そして、高校がない離島の港ではなおのこと。15歳の子どもたちの旅立ちの瞬間です。生まれ島から外に出て帰ってくる時、「こんな経験をしてきたよ」と勇姿を語る人もいれば、辛い経験をして心に傷を負っている人もいる。自分にはどんな未来が待っているのか。夢と希望、不安と寂しさとが入り交じった若者を、見送る家族友人は（ただ通りすぎる大人でさえも）、精一杯の応援と祝福のエールを送る。3月の空港や港は、若者たちの門出に胸がきゅっと切なくなります。

いってらっしゃい！　帰る場所はいつだってここにあるよ！

ながもと みち｜Michi Nagamoto
株式会社大切なこと研究所代表取締役。ブックホテル「浜比嘉別邸」、出版社「絵本スタジオアコークロー」、教育事業等を運営。20代に世界放浪後、東京で激務の出版社時代に体調を崩し、2008年沖縄移住。雑誌編集者、新聞記者を経て、現職。著書は『ていねいに旅する沖縄の島時間』（アノニマスタジオ）など10冊以上。沖縄暮らし15年の感謝を込めて「沖縄の賢者から学んだ､幸せに暮らす7つの秘訣」（PDF）を読者プレゼント中！
https://www.taisetsunakoto.com/ 沖縄365日

写真協力：あまわり浪漫の会、新垣優香、石垣島天文台（国立天文台）、上原明貴、うるま市教育委員会文化財課、OCVB、大城亘、オリオンビール株式会社、喜瀬慎次、ザ･ナハテラス、ジーエルイー合同会社、島麦かなさん、Chiaki Maki、PINE MUSIC FACTORY、比嘉伊津希、ふくはらさなえ、PENGIN SHOKUDO、ボクネン美術館、星のや竹富島
にふぇーでーびたん！！（感謝）：石垣島天文台、亀甲和子、河辺照之、斎灯サトル、普天間直弘、編集工房ヴァリエ（敬称略）

参考文献：『沖縄の美ら星―四季の星空ガイド』（宮地竹史著、琉球プロジェクト刊）
『肝に思み染みり 先人の教訓』（新垣光勇編、郷土出版刊）
『名護親方・程準則の＜琉球いろは歌＞』（安田和男著、ボーダーインク刊）
『沖縄八重山発 南の島のハーブ』（嵩西洋子著、南山舎刊）

沖縄の海風そよぐやさしい暮らし365日
島の人たちが守ってきたかけがえのない日々

2023年7月7日 初版第1刷発行

著　者　ながもと みち　Michi Nagamoto

Special thanks to
TRICOLOR PARIS ／ Mayu Ekuni ／東京散歩ぽ
Akiko Kusano ／ Yuko Ishikawa

デザイン　白畠かおり
校　正　浅沼理恵
企画原案　上野　茜
編　集　村上美千代

発行者　石井　悟
発行所　株式会社 自由国民社
〒171-0033 東京都豊島区高田3-10-11
電話 03-6233-0781（営業部）
03-6233-0786（編集部）
https://www.jiyu.co.jp/
印刷所　大日本印刷株式会社
製本所　新風製本株式会社